EXPLICAÇÃO CLARA DA PERFEIÇÃO CRISTÃ

EXPLICAÇÃO CLARA DA PERFEIÇÃO CRISTÃ

JOHN WESLEY

Traduzido por Cláudia Santana Martins

Copyright © 2020 por Editora Mundo Cristão

Todos os direitos reservados e protegidos pela Lei
9.610, de 19/02/1998.

É expressamente proibida a reprodução total ou
parcial deste livro, por quaisquer meios (eletrônicos,
mecânicos, fotográficos, gravação e outros), sem prévia
autorização, por escrito, da editora.

Edição
Daniel Faria

Revisão
Natália Custódio

Produção e diagramação
Felipe Marques

Colaboração
Ana Luiza Ferreira

Capa
Jonatas Belan

CIP-Brasil. Catalogação na publicação
Sindicato Nacional dos Editores de Livros, RJ

W533e

Wesley, John
  Explicação clara da perfeição cristã / John Wesley;
tradução Cláudia Santana Martins. - 1. ed. - São Paulo:
Mundo Cristão, 2020.
  192 p.

  Tradução de: A plain account of christian perfection
  ISBN 978-85-433-0504-2

  1. Teologia pastoral - Igrejas metodistas. 2. Perfeição
- Aspectos religiosos - Cristianismo. I. Martins, Cláudia
Santana. II. Título.

19-61751   CDD: 230.7
                                                 CDU: 277.6-1

Publicado no Brasil com todos
os direitos reservados por:

Editora Mundo Cristão
Rua Antônio Carlos Tacconi, 69
São Paulo, SP, Brasil
CEP 04810-020
Telefone: (11) 2127-4147
www.mundocristao.com.br

Categoria: Espiritualidade
1ª edição: abril de 2020

Sumário

Prefácio à edição em português   7
Nota da tradução   19

Uma explicação clara da perfeição cristã   21
Sermão 40: A perfeição cristã   139
Sermão 76: Sobre a perfeição   171

Prefácio à edição em português

William J. Abraham, professor da Southern Methodist University (Dallas, EUA) e uma das vozes mais importantes do metodismo mundial, afirma que "a doutrina de John Wesley sobre a perfeição cristã é, na melhor das hipóteses, uma letra morta e, na pior, uma fonte de ilusão política entre os metodistas contemporâneos".[1] A crítica de Abraham à situação presente no metodismo global e local sobre um dos ensinos mais marcantes da teologia de Wesley deve-se ao fato de que, segundo ele, "a doutrina da perfeição cristã não é mais operativa". As diversas denominações oriundas do metodismo histórico no Brasil se enquadram perfeitamente na crítica de Abraham, pois infelizmente tal ensino wesleyano nunca foi prioritário por aqui, tanto entre o corpo pastoral como entre o laicato.

Ao publicar uma nova edição da obra *A Plain Account of Christian Perfection*, a Mundo Cristão visa renovar o interesse dos leitores brasileiros nos ensinos de Wesley. No passado, a Imprensa Metodista fez uma primeira edição em 1933 e uma segunda em 1984. Além dessas duas edições em português, a Casa Nazarena de Publicações em 1981 também a publicou. Em inglês, a mais reconhecida é a editada por Randy L. Maddox e Paul W. Chilcote, publicada pela Beacon Hill Press em 2015.

A Plain Account of Christian Perfection teve sua primeira edição em 1766, pouco depois da controvérsia perfeccionista que

---

[1] Verbete "Christian Perfection", in: James E. Kirby e William J. Abraham, *The Oxford Handbook of Methodist Studies* (Oxford: Oxford University Press, 2011).

por pouco não ameaçou a sobrevivência do avivamento metodista no início daquela década. Nela John Wesley oferece uma explanação ampla da doutrina da perfeição cristã, descrevendo o papel que ela exerceu no desenvolvimento de sua teologia e prática ministerial. Para ele, a perfeição pode ser assim definida: "é pureza da intenção, é dedicar toda a vida a Deus". O amor a Deus e ao próximo é a base da doutrina da perfeição de Wesley, que somente pode ser alcançada pela graça como consequência do processo de santificação da pessoa crente.

O fato de que Wesley faz na obra uma descrição do seu desenvolvimento espiritual em termos de uma busca constante da experiência da perfeição cristã nos remete diretamente à sua vida e ministério.

No lar em que Wesley nasceu em 28 de junho de 1703, na casa pastoral da paróquia de Epworth, onde viveu até os 11 anos de idade, seus pais primavam por uma intensa vida devocional, tanto pessoal como comunitária. As famílias de Samuel e Susanna Wesley tinham entre seus antepassados alguns destacados puritanos. Em diferentes momentos da vida, porém, Samuel e Susanna romperam com o puritanismo e aderiram à Igreja da Inglaterra. Apesar de sua adesão à Igreja oficial — Samuel tendo até sido ordenado ministro —, ambos mantiveram uma intensa e rigorosa vida de piedade. Em contrapartida, vieram a celebrar com igual intensidade e rigor a vida litúrgica de sua nova Igreja. Fato é que Samuel e Susanna tinham firmes convicções religiosas e personalidade forte, com coração sincero e devotado.

O casal Wesley valorizava a prática dos exercícios espirituais no cotidiano familiar. Ambos demonstraram real preocupação com o bem-estar espiritual dos filhos. Samuel os influenciou por meio da devoção aos estudos e da participação constante no sacramento da Eucaristia, contrariamente à prática de seus antepassados puritanos. A influência de Susanna sobre os filhos foi decisiva para o desenvolvimento de cada um deles, John em particular. Após a quase trágica morte de John, então com apenas 5 anos, durante um incêndio na casa pastoral de Epworth, Susanna resolveu dedicar uma noite por semana a cada um de seus filhos. A John ela dedicou a noite de quinta-feira, sendo especialmente cuidadosa com ele, vendo em seu salvamento milagroso do incêndio um sinal de que algo lhe estaria providencialmente reservado no futuro.

Ao lado do cuidado com a formação religiosa, o casal Wesley se preocupava também com a formação intelectual, tanto de seus meninos como de suas meninas, desde a tenra idade, inclusive com o estudo de línguas clássicas. Isso fez que John fosse enviado em 1714 para Londres, a fim de estudar na Chaterhouse School, que oferecia educação para alunos pobres, mas intelectualmente brilhantes. Seu pai conseguiu que um nobre inglês indicasse John como sua escolha pessoal para aquela escola. Em Chaterhouse, Wesley demonstrou-se um aluno aplicado e disciplinado, sendo considerado um excelente estudante.

Após seis anos em Chaterhouse, em junho de 1720, com 17 anos, Wesley estava pronto para estudos mais avançados, ingressando na Christ Church, uma das faculdades da renomada Oxford University, onde alguns dos homens da família Wesley haviam se graduado. Em 1724, Wesley se formou, e em 19 de setembro de 1725 foi ordenado diácono na Catedral da Christ Church. Eleito membro do Lincoln College em março de 1726, tendo deixado Oxford em 1728 para ajudar seu pai, reitor da paróquia de Epworth, Wesley foi ordenado sacerdote em setembro de 1728.

No ano de sua ordenação ao diaconato, Wesley leu Tomás de Kempis e Jeremy Taylor. Interessado pela mística cristã, começou a procurar as verdades religiosas que sustentariam o avivamento metodista do século 18. Além desses autores, mais tarde a leitura de obras do clérigo inglês William Law deu-lhe, segundo seu próprio relato, uma visão mais sublime da lei de Deus; e ele decidiu mantê-la, interna e externamente, o mais sagrada possível, acreditando que na obediência rigorosa encontraria a salvação. Em conformidade com a formação disciplinada recebida em sua infância, agora se lhe impunha uma vida religiosa rigidamente metódica e regrada, estudando as Escrituras, cumprindo diligentemente os deveres religiosos e privando-se financeiramente para poder doar esmolas aos necessitados. Foi o começo de sua busca da santidade de coração e vida, que duraria até o final de seus dias. Para alguns dos estudiosos do movimento metodista, essa teria sido a primeira conversão de Wesley.

Depois de um tempo fora de Oxford exercendo tarefas pastorais em Epworth e Wroot, Wesley retornou à universidade em outubro de 1729, onde se juntou a seu irmão Charles, agora também um estudante na Christ Church, que com outros dois alunos, Robert Kirkham e William Morgan, havia formado um grupo para a prática regular de exercícios religiosos. O grupo se propôs encontrar-se regularmente para ler juntos as Escrituras Sagradas e receber a ceia do Senhor toda semana. Acabaram jocosamente apelidados de "metodistas", devido ao foco no estudo metódico e nos exercícios devocionais.

Logo depois de integrar-se ao grupo, John assumiu sua liderança, promovendo a adesão de outros estudantes. Os "metodistas" vieram a ser conhecidos como o "Clube Santo", por sua frequente participação no sacramento da ceia do Senhor e pela prática do jejum pelo menos dois dias da semana. A partir de 1730, o grupo acrescentou serviços sociais a suas atividades, visitando prisioneiros nas cadeias de Oxford, ensinando-os a ler, pagando-lhes as dívidas e tentando encontrar-lhes emprego. Os metodistas também estenderam suas atividades a casas de trabalho e pessoas pobres, distribuindo comida, roupas, remédios e livros e administrando uma escola. Em certo sentido, o disciplinado exercício dessas atividades por todos os membros do Clube Santo já prefigurava a ênfase que Wesley daria às obras de misericórdia e de piedade no caminho da salvação, após a experiência do novo nascimento, em busca do alvo maior da santidade de coração e vida, a perfeição cristã.

Depois da morte de seu pai, em abril de 1735, John foi persuadido por John Burton e pelo coronel James Oglethorpe, governador da colônia inglesa da Geórgia, na América do Norte, a supervisionar a vida espiritual dos colonos e desenvolver como agente da Sociedade de Propagação do Evangelho a missão entre os povos indígenas da região. Acompanhado por Charles, ordenado para tal missão, John na viagem para a América conheceu alguns crentes moravianos que lhe pareceram possuir a paz espiritual pela qual tanto ansiava. A missão para os índios fracassou, e o trabalho pastoral entre os colonos se constituiu numa enorme dor de cabeça para ambos os irmãos Wesley. John, em particular, procurou exercer fielmente seu pastorado, mas sua rígida disciplina própria da Alta Igreja inglesa acabou por gerar conflitos com sua congregação.

A decepção culminante se deu depois que Wesley se apaixonou por uma jovem chamada Sophia Hopkey, que estava no mesmo navio em que os Wesley cruzaram o oceano e era sobrinha do magistrado da então pequena aldeia de Savannah. Diante das indecisões de Wesley em assumir um relacionamento mais sério com ela, com a desculpa de que o casamento poderia tornar-se uma ameaça ao seu ministério missionário, Sophia acabou casando-se com outro homem. Em retaliação, Wesley a suspendeu da ceia do Senhor, o que atraiu a ira do tio magistrado. Para escapar da prisão que lhe foi imposta, pela acusação de haver difamado a honra de Sophia, em dezembro de 1737 Wesley fugiu da Geórgia em desabalada carreira no meio da noite. Mal-entendidos e perseguições decorrentes do episódio o forçaram a voltar para a Inglaterra.

De volta a Londres, o atribulado Wesley se viu dominado por um sentimento de fracasso que colocou em xeque sua busca de salvação mediante a observância rigorosa de disciplina espiritual. Foi nessa desesperadora situação que ele conheceu Peter Böhler, um pregador moraviano que o convenceu de que o que ele precisava era ter simplesmente fé em Cristo. Em 24 de maio de 1738, em Londres, durante uma reunião na Rua Aldersgate assistida em grande parte por moravianos, a convicção intelectual de Wesley se transformou em uma experiência pessoal. Assim narra ele em seu famoso diário essa experiência histórica que, embora não perdesse de vista a busca da santidade de coração e vida que desde 1725 o norteava, mudaria por completo o rumo de sua jornada espiritual:

> Ao anoitecer, muito a contragosto, fui a uma reunião na Rua Aldersgate; quando cheguei, alguém estava lendo o prefácio de Lutero à Epístola de Paulo aos Romanos. Por volta das quinze para as nove, enquanto ele descrevia a mudança que Deus opera no coração mediante a fé em Cristo, senti meu coração estranhamente aquecido. Senti que agora confiava realmente em Cristo, e em Cristo somente, para salvação; e me foi dada a certeza de que ele havia perdoado os meus pecados, sim, até mesmo os meus, e que eu estava salvo da lei do pecado e da morte.[2]

Quando dessa reviravolta em sua vida, Wesley estava com 35 anos. Daí em diante, Wesley desenvolveria seu ministério sob a

---

[2] John Wesley, *Journal*, 24 de maio de 1738, in: W. R. Ward e R. P. Heitzenrater (eds.), *The Works of John Wesley* (Nashville, TN: Abingdon Press, 1988–2003), vols. 18-24.

convicção de que Deus havia levantado o povo chamado "metodistas" com o propósito de "reformar a nação, em particular a Igreja, e espalhar a santidade bíblica sobre a terra", conforme sua declaração na Primeira Conferência Anual de Pregadores Metodistas, em 1744. Entretanto, os templos da Igreja da Inglaterra pouco a pouco foram se fechando para a pregação de Wesley, acusado de "entusiasmo" religioso. Procurou, então, as sociedades religiosas inspiradas pela piedade puritana, tentando nelas injetar novo vigor espiritual, introduzindo *bands* semelhantes às dos moravianos que tinha visto na Georgia e, posteriormente a Aldersgate, em Herrnutt — ou seja, pequenos grupos dentro de cada sociedade que estavam reservados a membros do mesmo sexo e estado civil e já preparados para compartilhar segredos íntimos uns com os outros e receber mútuas exortações. Para esses grupos, Wesley estabeleceu as Regras das *Bands* em dezembro de 1738.

Em 1739, George Whitefield (antigo companheiro do Clube Santo, que tivera sua experiência de conversão em 1735 e viria a tornar-se um dos grandes pregadores do avivamento evangélico na Grã-Bretanha e na América do Norte) convenceu Wesley a pregar ao ar livre, fora dos templos, às massas de trabalhadores das minas de carvão. Wesley reuniu convertidos em sociedades para a comunhão contínua e crescimento espiritual. Dentro das sociedades, em 1742, organizou as classes que se tornariam a ferramenta fundamental para consolidação do avivamento metodista; para seu ordenado funcionamento, Wesley estabeleceu em 1743 as Regras Gerais para as Sociedades Unidas. A fim de promover novas sociedades, tornou-se um pregador itinerante viajando por toda Inglaterra, País de Gales e Irlanda.

Como a maioria dos clérigos ordenados da Igreja da Inglaterra não se mostrou aberta ao seu ministério evangelístico fora dos padrões reconhecidos pela hierarquia eclesiástica,

Wesley foi obrigado a usar o serviço de leigos dedicados, que como ele também se tornaram pregadores itinerantes e ajudaram a administrar as sociedades metodistas. O crescimento dos metodistas exigiu a construção de capelas que servissem como centros para pregação, mas não para a celebração dos sacramentos, que deviam ser buscados na paróquia local. Pouco a pouco, seu espírito prático foi quebrando os preconceitos de sua formação na Alta Igreja, a fim de atender às novas demandas da missão que animava os metodistas.

Com as estruturas básicas das sociedades e das classes, e sob a liderança de Wesley e seus pregadores, reunidos anualmente em uma conferência para receber as devidas orientações e designações, o metodismo foi se consolidando. Entretanto, crises se tornaram inevitáveis ao longo da liderança de John Wesley. Para responder aos desafios e aos problemas postos pelo crescimento do avivamento, Wesley projetou-se como profícuo teólogo, sistematicamente produzindo seu *Diário*, bem como sermões, tratados, livros e cartas com orientações teológicas e práticas reclamadas pelos pregadores, líderes das classes e metodistas em geral.

Essa fase do pensamento e da vida de Wesley, portanto, é marcada pela experiência de Aldersgate, pela rejeição das estruturas eclesiásticas e acadêmicas das quais era um fiel membro, pela adesão a medidas evangelísticas não convencionais que motivaram o surpreendente crescimento dos metodistas, pela consolidação organizacional do movimento metodista, pelos conflitos teológicos com os calvinistas, e pela controvérsia perfeccionista incipiente durante a década de 1750, mas explosiva nos inícios da de 1760.

Embora a doutrina não fosse contrária aos ensinamentos da Igreja da Inglaterra, sua ênfase pelos irmãos Wesley não era nada comum. A controvérsia em Londres na verdade foi o desabar de uma tempestade que já havia algum tempo vinha se acumulando. O conceito de santificação que conduz à perfeição foi se espalhando entre muitos metodistas durante os anos de 1750 e, misturado com cultos extremamente emocionais, acabou por criar a possibilidade de um inebriante sentimento de superioridade espiritual por parte daqueles que afirmavam tê-la alcançado. O próprio John Wesley por algum tempo encorajou entre seus seguidores a esperança de que alguém pudesse alcançar essa experiência logo após o novo nascimento.

Logo, porém, surgiram divergências sobre a natureza e as consequências de tais experiências, reforçando as acusações dos adversários de Wesley quanto ao caráter entusiasta do metodismo. Dois líderes da Sociedade de Londres, Thomas Maxfield e George Bell, passaram a propagar uma versão mais extremada do ensino sobre a perfeição, dando ênfase ao seu caráter instantâneo em detrimento do gradualismo de Wesley, e afirmando que sua maior evidência seriam as experiências extraordinárias, e não o amor a Deus e ao próximo, e que quem a alcançasse não mais seria tentado nem cairia da graça. Charles Wesley, que sempre entendeu a perfeição cristã como um "artigo de morte", impossível de ser experimentada antes dela, reagiu fortemente contra tal entusiasmo. Em dezembro de 1761, John escreveu a seu irmão, reconhecendo que havia perigo de o metodismo cair no propalado entusiasmo, mas que ele não achava que o risco seria agora maior do que tinha sido por vinte anos. Entretanto, os excessos da radicalização entusiasta dos adeptos do perfeccionismo, que causaram grande confusão no interior do movimento e grande dano à relação dos metodistas com a Igreja da Inglaterra, inclusive com sua ala evangélica, levaram Wesley a desassociar-se dos perfeccionistas.

A controvérsia perfeccionista da Sociedade de Londres convenceu Wesley de que deveria cuidar com mais zelo e disciplina do que era pregado e ensinado em suas capelas. É dentro do contexto teológico que se seguiu à controvérsia perfeccionista do início da década de 1760 que Wesley em 1766 escreveu seu tratado sobre a perfeição cristã. Em *A Plain Account of Christian Perfection* [Explicação clara da perfeição cristã] ganha maior expressão a ênfase que Wesley dava a uma vida restaurada em amor e santidade, ensino que segundo ele se tornou "uma das marcas distintivas mais importantes do movimento metodista",[3] ou ainda o "*grand depositum*" confiado por Deus aos metodistas.

Uma das grandes dificuldades relacionadas ao ensino de Wesley sobre a perfeição cristã é a compreensão do termo "perfeição" a partir do pensamento teológico do cristianismo ocidental, principalmente entre as diversas correntes oriundas da Reforma Protestante do século 16. Na verdade, seu entendimento da perfeição cristã tem muito mais a ver com a teologia oriental, de tradição ortodoxa, sobretudo o ensino sobre a *theosis*, o processo de deificação pela participação do crente na natureza divina.

Segundo Randy Maddox, a vida de santidade de coração e vida demanda um compromisso responsável da pessoa crente diante do gracioso favor divino oferecido a toda humanidade. Em Cristo somos chamados ao novo nascimento e ao crescimento espiritual, a fim de andarmos como Cristo andou. Assim, o ensino ortodoxo sobre a *theosis* e o ensino de Wesley sobre o processo da santificação são fundamentais para a compreensão da doutrina sobre a perfeição cristã:

---

[3] Citado em Randy L. Maddox e Paul W. Chilcote (eds.), *A Plain Account of Christian Perfection, Annotated* (Kansas City, MO: Beacon Hill Press, 2015), p. 14.

O que é mais característico e comum entre Wesley e o cristianismo ortodoxo oriental é sua convicção de que a semelhança de Cristo não é simplesmente infundida nos crentes instantaneamente. É desenvolvida progressivamente mediante uma apropriação responsável dos meios de graça que Deus provê. As disciplinas espirituais são essenciais para esse processo de crescimento. Não há espaço para o quietismo.[4]

Na fase final de sua carreira teológica e ministerial, Wesley buscou "o equilíbrio na fé iniciada pela graça divina e confirmada pelas obras", sem jamais abrir mão do "cuidado com a santidade, incluindo a questão da perfeição cristã relacionada a questões sociais".[5] À época de sua morte, em 2 de março de 1791, a contribuição teológica e ministerial de Wesley à doutrina da santidade cristã já estava consolidada, e é difícil mensurar a influência e inspiração que exerceu nas gerações e gerações vindouras.

Ao lançar esta importante obra de John Wesley acrescida dos conhecidos sermões "A perfeição cristã" (1741) e "Sobre a perfeição" (1784), a Mundo Cristão presta um inestimável serviço ao campo evangélico brasileiro que vai muito além das diferentes manifestações do metodismo no país. Num momento em que há grande confusão teológica entre nossos evangélicos, com sérias consequências para a prática da ética cristã, tanto na vida pessoal como na vida comunitária, a publicação de *Explicação clara da perfeição cristã* pode ajudar-nos a melhor valorizar

---

[4] Randy Maddox, "John Wesley and Eastern Orthodoxy: Influences, Convergences and Differences", in: *The Asbury Theological Journal*, vol. 45, nº. 2 (1990), p. 39-40.

[5] Verbete "John Wesley (1703–1791)", in: *The Boston Collaborative Encyclopedia of Western Theology*, disponível em: <http://people.bu.edu/wwildman/bce/wesley.htm>. Acesso em 14 de novembro de 2019.

a prática da santidade de coração e vida e a redescobrir o segredo de andar como Cristo andou.

Paulo Ayres Mattos
Bispo emérito da Igreja Metodista do Brasil e
presidente da diretoria da organização Koinonia Presença
Ecumênica e Serviço

Nota da tradução

A tradução do ensaio *A Plain Account of Christian Perfection* e dos sermões "Christian Perfection" e "On Perfection" se baseou na compilação *The Works of John Wesley*, editada por Thomas Jackson (1872). As notas indicadas como "N. do E." (nota do editor) e "N. do A." (nota do autor) são comentários extraídos da edição mencionada.

Sobre a tradução das citações bíblicas, convém dizer que John Wesley cita as Escrituras recorrentemente, muitas vezes sem mencionar a fonte. Para permitir que o leitor tivesse acesso a essas citações, incluímos referências de todas as citações que conseguimos localizar. Sempre que possível, utilizamos a *Almeida Revista e Atualizada*, 2ª edição (RA), da Sociedade Bíblica do Brasil (SBB); em alguns casos, recorremos à *Almeida Revista e Corrigida* (RC), também da SBB, e à *Bíblia de Jerusalém* (BJ), da Paulus, sobretudo nas citações de livros deuterocanônicos. Algumas poucas citações foram extraídas do *Livro de Oração Comum* (LOC), da Igreja da Inglaterra, e traduzidas diretamente do original.

Em geral, Wesley cita o texto bíblico a partir da Versão Autorizada (VA) do rei Jaime, a *King James* de 1611. Em uma ocasião, traduz diretamente da Vulgata Latina, e ainda outras vezes cita, aparentemente, de memória, alterando termos e até mesmo estruturas sintáticas. Por exemplo, ele cita "Pray without ceasing" (1Ts 5.17) como "[he] prays without ceasing". Assim, na tradução, em vez de "orai sem cessar", foi preciso traduzir por "[ele] ora sem cessar". Há casos em que Wesley altera uma ou outra palavra da citação bíblica. Por exemplo, em vez de "Touch not mine anointed, and do my prophets no harm" (1Cr 16.22), ele escreve: "Touch not mine anointed, and do my children no harm". Assim reproduzimos essa modificação na tradução: "Não toqueis nos meus ungidos, nem maltrateis os meus filhos", em vez de "Não toqueis nos meus ungidos, nem maltrateis os meus profetas". Outras vezes, quando a citação bíblica foi muito alterada, acrescentamos a referência à passagem, mas retiramos as aspas da citação.

Quanto à tradução dos hinos: como se sabe, é impossível reproduzir em outra língua todas as características de forma e significado de um poema. Procuramos traduzir os hinos mantendo a rima e a métrica sempre que possível. Não são, no entanto, traduções que se prestem ao canto. Para tanto, teria sido preciso modificar muito o conteúdo semântico. Ainda assim, a necessidade da rima e da adequação à métrica levou a algumas poucas supressões e acréscimos de termos que, acreditamos, não alteram substancialmente o conteúdo. Em alguns poucos casos, tivemos também de alterar o esquema das rimas — por exemplo, de encadeadas (ABAB) a emparelhadas (AABB) ou interpoladas (ABBA). Houve ainda casos em que, para preservar a semântica, foram acrescentados versos. Uma estrofe de seis versos, por exemplo, passou a ter oito. Isso foi necessário porque, ao contrário do português, o inglês é uma língua com muitos monossílabos e um tanto sintética.

Todo esse cuidado com a tradução teve por objetivo, a todo tempo, uma reprodução digna do pensamento de Wesley e uma experiência de leitura adequada para leitores em língua portuguesa do século 21.

Uma explicação clara da perfeição cristã, segundo a crença e doutrina do reverendo sr. John Wesley, do ano de 1725 até o ano de 1777[1]

1 O que pretendo nos textos a seguir é dar uma explicação clara e distinta dos passos pelos quais fui conduzido, no curso de muitos anos, a abraçar a doutrina da perfeição cristã. Devo isso à parcela séria da humanidade, àqueles que desejam conhecer toda a verdade que há em Jesus. Apenas essas pessoas se preocupam com questões desse tipo. A elas contarei tudo com a maior franqueza, empenhando-me sempre por mostrar, de um período a outro, tanto o que eu pensava quanto por que pensava assim.

2 No ano de 1725, estando nos meus 23 anos, deparei com o livro do bispo Taylor, *Regras e exercícios para viver e morrer santamente*.[2] Ao ler várias partes desse livro, fiquei extremamente comovido, em especial com aquela parte que diz respeito à pureza

---

[1] Não se deve entender que os sentimentos do sr. Wesley em relação à perfeição cristã tenham, em qualquer grau, mudado após o ano de 1777. Este tratado passou por várias revisões e ampliações durante esse período, e em cada edição sucessiva a data da revisão mais recente era especificada. A última revisão parece ter sido feita em 1777 e, desde esse período, essa data foi mantida de modo geral na folha de rosto de várias edições do ensaio. (N. do E.)

[2] Wesley se refere a dois livros do bispo anglicano Jeremy Taylor (1613––1667), *The Rule and Exercises of Holy Living* (1650) e *The Rule and Exercises of Holy Dying* (1651). (N. da T.)

de intenção. De imediato, decidi dedicar toda a minha vida a Deus, todos os meus pensamentos, palavras e ações; estando totalmente convencido, não havia meio-termo: todas as partes da minha vida (não apenas algumas) ou deveriam ser um sacrifício a Deus ou a mim mesmo — quer dizer, na verdade, ao diabo.

Será que alguma pessoa séria pode duvidar disso, ou encontrar um meio-termo entre servir a Deus e ao diabo?

3 Em 1726, li o livro de Kempis, *A imitação de Cristo*.[3] A natureza e a extensão da religião interna, a religião do coração, apresentou-se então a mim sob uma luz ainda mais forte do que antes. Vi que mesmo dar toda a minha vida a Deus (supondo que fosse possível fazer isso e não ir além) de nada adiantaria, a não ser que eu desse a ele meu coração, sim, todo o meu coração.

Vi que "simplicidade de intenção e pureza de afeto", um propósito em tudo o que falamos ou fazemos, e um desejo governando todos os nossos ânimos, são mesmo "as asas da alma", sem as quais ela jamais ascenderá ao monte de Deus.

4 Um ou dois anos depois, chegaram às minhas mãos o *Tratado sobre a perfeição cristã* e *Um sério chamado a uma vida santa e devota*, do sr. Law.[4] Esses livros me convenceram, mais do que nunca, da absoluta impossibilidade de ser meio cristão; e decidi, pela graça de Deus (de cuja necessidade absoluta eu tinha profunda consciência), ser totalmente devotado a ele, dar-lhe toda minha alma, meu corpo e meus bens.

[3] Em inglês, a obra de Tomás de Kempis (c. 1380– 1471) era então conhecida como *The Christian Pattern* [O padrão cristão], que é como Wesley se refere a ela aqui. A Mundo Cristão publicou uma edição de *A imitação de Cristo* em 2016. (N. da T.)

[4] Trata-se de duas obras do clérigo inglês William Law (1686–1761), *A Practical Treatise upon Christian Perfection* (1726) e *A Serious Call to a Holy and Devout Life* (1729). (N. da T.)

Alguma pessoa sensata diria que isso é levar a questão longe demais? Ou que devemos àquele que se entregou por nós algo menos do que nos dar por inteiro, tudo o que temos e tudo o que somos?

5 Em 1729, comecei não apenas a ler, mas a estudar a Bíblia, como o único padrão de verdade e o único modelo de religião pura. A partir daí vi, com clareza cada vez maior, a necessidade indispensável de ter "a mente de Cristo" (1Co 2.16) e de "andar assim como ele andou" (1Jo 2.6); até mesmo de ter, não apenas uma parte, mas toda a mente de Cristo; e de andar como ele andou, não apenas em muitos ou na maioria dos aspectos, mas em tudo. E foi sob essa luz que, naquele tempo, considerei a religião, como um seguir a Cristo de maneira uniforme, uma completa conformidade interna e externa com nosso Mestre. E nada me amedrontava mais do que adaptar essa regra à minha experiência própria ou a de outras pessoas e permitir-me qualquer desvio em relação ao nosso maior Exemplo.

6 No dia 1º de janeiro de 1733, preguei na Universidade de Oxford, na Igreja de Santa Maria, sobre "a circuncisão do coração", questão que expliquei com estas palavras:

> É aquela disposição habitual da alma que, nas Sagradas Escrituras, é denominada santidade, e que implica diretamente sermos purificados do pecado, "de toda impureza, tanto da carne como do espírito" (2Co 7.1), e em consequência sermos agraciados com aquelas virtudes que estavam em Cristo Jesus, sermos "renovados no espírito do nosso entendimento" (Ef 4.23) de modo a nos tornarmos "perfeitos como perfeito é o nosso Pai celeste" (Mt 5.48).

No mesmo sermão, observei:

> "O cumprimento da lei é o amor" (Rm 13.10), a finalidade dos mandamentos. O amor não é apenas "o grande e primeiro

mandamento" (Mt 22.38), mas todos os mandamentos em um. "Tudo que é justo, tudo que é puro [...], se alguma virtude há e se algum louvor existe" (Fp 4.8), tudo está compreendido nessa única palavra, amor. Nela está a perfeição, a glória e a felicidade. A lei régia do céu e da terra é esta: "Amarás o Senhor, teu Deus, de todo o teu coração, de toda a tua alma, de todo o teu entendimento e de toda a tua força" (Mc 12.30; Lc 10.27; Dt 6.5). O único bem perfeito será o teu fim último. Uma coisa deve ser desejada pelo seu valor intrínseco: a satisfação daquele que é tudo em todos. Uma felicidade te será proposta à alma, uma união com aquele que a criou, ter "comunhão com o Pai e com o Filho" (1Jo 1.3) e unir-se a ele em um só espírito (1Co 6.17). Um objetivo devemos perseguir até o final dos tempos: desfrutar de Deus nestes tempos e na eternidade. Desejai outras coisas na medida em que estas conduzam àquela; amai a criatura, porquanto esta conduz ao Criador. Mas, a cada passo que derdes, que seja este o ponto glorioso ao qual se dirige a vossa visão. Que cada afeto, pensamento, palavra e ação esteja subordinado a isso. Tudo o que desejais ou temeis, tudo o que buscais ou evitais, tudo o que pensais ou dizeis, ou façais, seja para a vossa felicidade em Deus, o único fim, assim como a origem, do vosso ser.

Concluí com estas palavras:

Eis a essência da lei perfeita, a circuncisão do coração. Que o espírito retorne para Deus, que o concedeu, com todas as suas afeições. Deus não deseja outros sacrifícios de nossa parte, exceto o sacrifício vivo do coração que ele escolheu. Que este seja continuamente oferecido a Deus por meio de Cristo, em chamas de amor santo. E que nenhuma criatura se permita compartilhar esse amor com ele, pois ele é um Deus ciumento. Não dividirá seu trono com outro; reinará sem rival. Que não se admita nenhum projeto, nenhum desejo que não o tenha como finalidade última. Este é o caminho que percorreram outrora aqueles filhos de Deus que, estando mortos, ainda falam conosco: "Não desejes viver a não ser para louvar o nome dele; que todos os teus pensamentos e obras conduzam à glória dele"; "Que a tua alma se encha com um amor tão completo por ele que não amarás nada a não ser por amor a ele"; "Tem uma intenção pura no coração, um constante respeito à glória dele em todas as ações". Pois então, e só então, é que mostraremos a mesma "mente de Cristo Jesus", quando em cada movimento de nosso coração, em cada palavra de nossa língua, em cada obra de nossas mãos, "não busquemos nada que não tenha relação com ele, e em subordinação à sua vontade"; quando não pensarmos, falarmos, nem agirmos "para fazer a nossa própria vontade, e sim a vontade daquele que nos enviou" (Jo 6.38); quando "quer comamos, quer bebamos ou façamos outra coisa qualquer, fazemos tudo para a glória de Deus" (1Co 10.31).

Deve-se salientar que esse sermão foi o primeiro de todos os meus trabalhos a ser publicado. Esta era a visão de religião que eu então possuía e que, mesmo então, não hesitava em chamar de *perfeição*. Esta é a visão que tenho agora, sem qualquer acréscimo ou diminuição substancial. E o que há aqui que possa ser alvo da objeção de qualquer pessoa de entendimento, que acredita na Bíblia? O que poderá ser negado, sem contradizer categoricamente as Escrituras? O que se poderá retirar, sem subtrair a palavra de Deus?

7 No mesmo sentimento, meu irmão e eu permanecemos (com todos aqueles jovens cavalheiros chamados, em tom de escárnio, de "metodistas") até embarcarmos para a América, ao final de 1735. Foi no ano seguinte, enquanto eu estava em Savannah, que escrevi os seguintes versos:

Algo embaixo do sol peleja
Contigo por meu coração?

Afasta-o e a sós esteja,
Meu Senhor, sem contestação![5]

No início de 1738, quando regressava de lá, o clamor de meu coração era:

Nada em minh'alma deve haver
Além do teu amor, que ecoa!
Que ele se aposse do meu ser,
Meu gáudio, tesouro e coroa!
Tira-me o alheio fogo, Deus,
Do coração; que todo ato,
Palavra e pensamento meus
Sejam de puro amor de fato![6]

Jamais soube de alguém que objetasse a isso. E, realmente, quem objetaria? Não é essa a linguagem, não apenas de todo crente, mas de todos os que estão verdadeiramente despertos? Mas o que foi que escrevi, até hoje, que seja mais forte ou mais claro?

8 Em agosto desse mesmo ano, tive uma longa conversa com Arvid Gradin, na Alemanha. Depois que me contou sua experiência, quis que ele me desse, por escrito, uma definição da "plena certeza de fé" (Hb 10.22), o que ele fez com as seguintes palavras:

Requies in sanguine Christi; firma fiducia in Deum, et persuasio de gratia divina; tranquillitas mentis summa, atque serenitas et pax; cum absentia omnis desiderii carnalis, et cessatione peccatorum etiam internorum.

---

[5] Do hino "Thou Hidden Love of God", tradução de John Wesley para "Verborgne Gottesliebe du", de Gerhard Tersteegen. (N. da T.)
[6] Do hino "Jesus, Thy Boundless Love to Me", tradução de John Wesley para "O Jesu Christ, mein schönstes Licht", de Paul Gerhardt. (N. da T.)

Repouso no sangue de Cristo; firme confiança em Deus e convicção de seu favor; a maior tranquilidade, serenidade e paz de espírito, com uma libertação de todo desejo carnal e a cessação de todos os pecados, até mesmo os internos.

Esse foi o primeiro relato que escutei, por parte de qualquer pessoa viva, daquilo que eu havia aprendido antes com os oráculos de Deus e pelo que vinha orando (na companhia de um pequeno grupo de amigos) e esperando há muitos anos.

9 Em 1739, meu irmão e eu publicamos um livro de *Hinos e Poemas Sagrados*. Em muitos deles declaramos nossos sentimentos firme e explicitamente. Assim, na página 24:

O fluxo da maré desvia;
Tenda todo ato assim
A ti, que és Fonte e Amor que guia,
Seja a tua glória o fim.

A terra então será uma escada
Para os céus. A razão
Irá nos indicar a estrada;
A ti conduzirão
Todas as criaturas, sim,
Todos os seres teus.
Tudo o que provarmos, enfim,
Terá o sabor de Deus.[7]

Novamente:

Arma-me com poder, meu Deus,
Do teu Espírito abençoado,
Pois por teu nome sou chamado;
Em ti os pensamentos meus

[7] Do hino "Enslaved to Sense, to Pleasure Prone", de John e Charles Wesley, *Hymns and Sacred Poems*, vol. i, p. 24. (N. da T.)

Se unem; em toda a minha lida
Que sejas a meta escolhida.
Sempre me assista o teu amor
E tudo eu faça em teu louvor.[8]

Ainda:

Clamo por ti em ansiedade,
O divino princípio, em calma
E doce coerção me invade,
E toma posse de minh'alma;
No mais profundo mar submersa
E em tua imensidão dispersa![9]

Uma vez mais:

Celeste e divino Adão,
Opera a transformação;
Nest'alma te dissemina
E todo o meu ser domina.[10]

Seria fácil citar muitas outras passagens de mesmo teor. Mas essas bastam para mostrar, sem qualquer sombra de dúvida, quais eram nossos sentimentos então.

10 O primeiro tratado que escrevi expressamente sobre esse assunto foi publicado ao final daquele ano. Para que ninguém tivesse ideias preconcebidas antes de lê-lo, dei-lhe o título neutro de "O caráter de um metodista". Nele, descrevi um

---

[8] Do hino "O God, What Offering Shall I Give", tradução de John Wesley para "O Jesu, süsses Licht", de Joachim Lange, *Hymns and Sacred Poems*, vol. i, p. 122. (N. da T.)
[9] Do hino "Come, Holy Ghost, All Quickening Fire", de John e Charles Wesley (há dois hinos com esse mesmo título), *Hymns and Sacred Poems*, vol. i, p. 125. (N. da T.)
[10] Do hino "Since the Son Hath Made Me Free", de John e Charles Wesley, *Hymns and Sacred Poems*, vol. i, p. 153. (N. da T.)

cristão perfeito, estampando na primeira página: "Não que eu o tenha já obtido" (Fp 3.12). Incluo aqui parte dele, sem qualquer alteração:

> Um metodista é alguém que ama o Senhor, seu Deus, de todo o coração, de toda a alma, de todo o entendimento e com todas as forças. Deus é a alegria de seu coração, e o desejo de sua alma, que está sempre clamando: "Quem mais tenho eu no céu? Não há outro em quem eu me compraza na terra" (Sl 73.25). Meu Deus e meu tudo! "Deus é a fortaleza do meu coração e a minha herança para sempre" (Sl 73.26). Ele está, portanto, feliz em Deus; sim, sempre feliz, tendo nele uma fonte de água brotando para a vida eterna, e inundando a alma com paz e alegria. Como o perfeito amor que vive agora expulsou o medo, ele se regozija ainda mais. Sim, sua alegria é plena, e todos os seus ossos gritam: "Bendito o Deus e Pai de nosso Senhor Jesus Cristo, que, segundo a sua muita misericórdia, me regenerou para uma viva esperança [...], para uma herança incorruptível, sem mácula, imarcescível, reservada nos céus para mim" (1Pe 1.3-4).
>
> E aquele que tem essa esperança, assim pleno de imortalidade, em tudo dá graças, sabendo que essa (seja qual for) "é a vontade de Deus em Cristo Jesus" (1Ts 5.18) para ele. De Deus, portanto, recebe tudo alegremente, dizendo: "Boa é a palavra do Senhor" (2Rs 20.19) e, quer ele dê, quer tome, abençoa igualmente o nome do Senhor (Jó 1.21). Na tranquilidade ou na dor, na doença ou na saúde, na vida ou na morte, ele dá graças do fundo do coração àquele que tudo ordena para o bem, em cujas mãos entregou o corpo e a alma integralmente, como nas mãos do "fiel Criador" (1Pe 4.19). Dessa forma, ele não vive ansioso "de coisa alguma" (Fp 4.6), "lançando sobre ele toda a ansiedade, porque ele tem cuidado dele" (1Pe 5.7); assim, descansa nele, depois

de pedir aquilo de que necessita "pela oração e pela súplica, com ações de graças" (Fp 4.6).

Pois realmente ele "ora sem cessar" (1Ts 5.17); em todos os momentos a linguagem de seu coração é esta: "Diante de ti está minha boca, embora sem voz; e meu silêncio fala junto a ti". O coração dele se eleva a Deus em todos os instantes e lugares. Nisso ele nunca é obstruído, muito menos interrompido, por qualquer pessoa ou coisa. A sós ou acompanhado, nos momentos de folga, nos negócios ou conversando, seu coração está sempre com o Senhor. Quer esteja deitado, quer em pé, "Deus está em todos os seus pensamentos". Ele anda com Deus continuamente, tendo o olho amoroso da alma fixado nele, e em todos os lugares "como quem vê aquele que é invisível" (Hb 11.27).

E, amando a Deus, ele "ama o próximo como a si mesmo" (Lv 19.18; Mt 19.19; Mc 12.31); ama todas as pessoas como sua própria alma. Ama os inimigos, sim, e os inimigos de Deus. E se não está em seu poder "fazer o bem àqueles que o odeiam", mesmo assim não deixa de "orar pelos que o perseguem" (Mt 5.44), ainda que desprezem o seu amor e o ofendam.

Pois ele é "limpo de coração" (Mt 5.8). O amor purificou-lhe o coração da inveja, malícia, ira e toda inclinação ruim. Purificou-o da soberba, da qual "só resulta a contenda" (Pv 13.10), e agora ele se revestiu "de ternos afetos de misericórdia, de bondade, de humildade, de mansidão, de longanimidade" (Cl 3.12). E, de fato, todos os possíveis motivos de contenda, de sua parte, são extirpados. Pois ninguém pode lhe tirar o que deseja, já que ele "não ama o mundo nem as coisas que há no mundo" (1Jo 2.15), e o desejo de sua alma está "no nome e na memória" de Deus (Is 26.8).

Adequado a esse único desejo é o seu único propósito na vida; a saber, "não fazer a sua própria vontade, e sim a vontade daquele que o enviou" (Jo 6.38). Sua única intenção em todos os momentos e lugares não é satisfazer a si mesmo, mas àquele a quem a sua alma ama. Possui um único olho, e porque seu "olho é único, todo o corpo se enche de luz" (Mt 6.22; Lc 11.34).[11] Será todo resplandecente como a candeia quando ilumina a casa. Deus reina sozinho; tudo o que há na alma é "santidade ao SENHOR" (Êx 28.36). Não há em seu coração nenhum impulso que não esteja de acordo com sua vontade. Cada pensamento que surge aponta para ele e é em obediência à "lei de Cristo" (Gl 6.2).

E a árvore é conhecida por seus frutos (Mt 7.16-20). Pois, como ele ama a Deus, então "guarda os seus mandamentos" (Jo 14.15), não apenas alguns, nem a maioria deles, mas todos, do menor ao maior. Não é daqueles que se contentam em "guardar toda a lei, mas tropeçam em um só ponto" (Tg 2.10); antes, procura, em todos os pontos, "ter sempre consciência pura diante de Deus e dos homens" (At 24.16). O que Deus proibiu, ele evita; o que Deus ordenou, ele faz. Ele "percorre o caminho dos mandamentos de Deus" (Sl 119.32) agora que Deus libertou-lhe o coração. É sua glória e alegria fazê-lo; é sua coroa diária de regozijo "fazer a vontade de Deus, assim na terra como no céu" (Mt 6.10).

Ele guarda todos os mandamentos de Deus de forma adequada, e com todas as forças; pois a obediência é proporcional ao amor, a fonte da qual emana. E assim, amando a Deus de todo o coração, ele o serve com todas as forças;

---

[11] Conforme a VA (*King James*, 1611), que traduz assim Mateus 6.2: "If therefore thine eye be single, thy whole body shalbe full of light". A tradução mais comum desse trecho para o português é, como na RA, "Se os teus olhos forem bons, todo o teu corpo será luminoso". Não obstante, em Mateus 6.22 e Lucas 11.34, onde se esperaria encontrar a expressão "olho bom", o adjetivo usado não é καλός ("bom, agradável"), mas ἁπλοῦς ("único, simples"). Segundo a interpretação de Wesley, portanto, esse "olho único" representaria a pessoa inteiramente devotada a Deus, em vez de dedicada aos próprios interesses. (N. da T.)

apresenta continuamente a alma e o corpo em "sacrifício vivo, santo e agradável a Deus" (Rm 12.1), devotando a si mesmo, tudo o que possui, tudo o que é, integralmente e sem reservas, para a glória de Deus. Todos os talentos que possui, emprega constantemente de acordo com a vontade do Mestre; toda força e capacidade da alma, cada membro do corpo.

Em consequência, o que quer que ele faça, faz "para a glória de Deus" (1Co 10.31). Em todas as atividades que exerce, não apenas tem esse objetivo em mente, o que está implícito no fato de ter um olho único, como, na verdade, o atinge. Os negócios e os momentos de descanso, assim como as orações, tudo serve a essa grande finalidade. Quer esteja "assentado em casa, e andando pelo caminho, e ao deitar-se, e ao levantar-se" (Dt 6.7), promove, em tudo o que fala ou faz, a única ocupação de sua vida. Quer esteja se vestindo, trabalhando, comendo e bebendo ou se distraindo do trabalho exaustivo, tudo contribui para o aumento da glória de Deus, por meio da paz e boa vontade entre os homens. Sua única regra invariável é esta: "E tudo o que fizerdes, seja em palavra, seja em ação, fazei-o em nome do Senhor Jesus, dando por ele graças a Deus Pai" (Cl 3.17).

Os hábitos do mundo não o impedem de "correr, com perseverança, a carreira que lhe foi proposta" (Hb 12.1). Não pode, portanto, "acumular tesouros sobre a terra" (Mt 6.19) tanto quanto não pode atear fogo ao próprio peito (Pv 6.27). Não pode falar mal do próximo, assim como não pode mentir para Deus nem para as outras pessoas. Não pode proferir uma palavra rude para ninguém, pois o amor guarda-lhe a porta dos lábios. Não pode falar "palavra frívola" (Mt 12.36); nenhuma "palavra torpe" deve sair-lhe da boca, assim como qualquer palavra que não seja "boa para edificação", capaz de "transmitir graça aos que ouvem" (Ef 4.29). Mas "tudo o que é puro, tudo o que é amável, tudo o que é de boa fama"

(Fp 4.8) ele pensa, fala e faz, ornando, "em todas as coisas, a doutrina de Deus, nosso Salvador" (Tt 2.10).

Essas são as palavras com as quais declarei liberalmente, pela primeira vez, meus sentimentos sobre a perfeição cristã. E não é fácil de ver (1) que é exatamente esse o ponto que eu mirava durante todo o ano de 1725 e, com mais determinação ainda, desde o ano de 1730, quando comecei a ser *homo unius libri*, "homem de um livro só", não considerando nenhum outro, comparativamente, senão a Bíblia? Não é fácil de ver (2) que essa é exatamente a mesma doutrina em que acredito e que ensino até hoje, sem acrescentar um ponto sequer, seja à santidade interna, seja à externa, que defendia 38 anos atrás? E é a mesma que, pela graça de Deus, continuei a ensinar desde aquela época até agora, como ficará claro a qualquer pessoa imparcial a partir das citações que se seguem.

11 Não tenho conhecimento de que nenhum escritor tenha feito qualquer objeção àquele tratado até hoje, e por algum tempo não encontrei muita oposição quanto ao tema, pelo menos não vinda de pessoas sérias. No entanto, após algum tempo, surgiu um protesto e, o que me surpreendeu um pouco, entre religiosos, que afirmavam, não que eu havia definido a perfeição de forma errada, mas que "não há perfeição na terra", e atacavam com veemência a mim e a meu irmão por afirmarmos o contrário. Não esperávamos um ataque tão duro, principalmente porque éramos claros a respeito da justificação pela fé e tivemos o cuidado de atribuir toda a salvação à mera graça de Deus. Porém o que mais nos surpreendeu foi que nos acusaram de "desonrar a Cristo" por declarar que ele pode "salvar totalmente" (Hb 7.25) e defender que ele reinará sozinho em nosso coração e subjugará tudo o que existe.

12 Creio que foi no final do ano de 1740 que tive uma conversa com o dr. Gibson, então bispo de Londres, em Whitehall. Ele me perguntou o que eu queria dizer com "perfeição". Respondi-lhe sem qualquer dissimulação ou reserva. Quando terminei de falar, ele disse: "Sr. Wesley, se isso é tudo o que quer dizer, publique para todo o mundo ler. Se alguém, então, refutar o que disse, terá o direito de fazê-lo". Respondi: "Meu senhor, farei isso". Assim, escrevi e publiquei o sermão sobre a perfeição cristã.

Nesse sermão, procurei mostrar: (1) em que sentido os cristãos não são perfeitos; e (2) em que sentido eles são perfeitos.

(1) Em que sentido não são perfeitos. Não são perfeitos em conhecimento. Não são livres de ignorância, não, nem do erro. Assim como não esperamos que qualquer pessoa viva seja infalível, também não esperamos que seja onisciente. Os cristãos não estão livres de fraquezas, tais como dificuldade ou lentidão de entendimento, sagacidade irregular ou morosidade da imaginação. De outro tipo são a impropriedade de linguagem e a pronúncia deselegante, às quais poderíamos acrescentar milhares de defeitos sem nome, seja na conversa, seja no comportamento. De fraquezas como essas ninguém está perfeitamente livre até que seu espírito retorne a Deus; nem podemos esperar, até então, estarmos completamente livres da tentação, pois "o servo não está acima de seu senhor" (Mt 10.24). Porém nem nesse sentido há perfeição absoluta na terra. Não existe grau de perfeição máxima; nenhum que não admita crescimento contínuo.

(2) Em que sentido, então, nós somos perfeitos? Observai que não estamos agora falando de criancinhas pequenas, mas de cristãos adultos. Entretanto, até mesmo os recém-nascidos em Cristo são perfeitos por não terem cometido pecado. Isso São João afirma explicitamente, e não pode ser desmentido pelos exemplos do Antigo Testamento. Pois

qual seria o problema se o mais santo dos antigos judeus às vezes cometia pecados? Não podemos inferir a partir disso que "todos os cristãos cometem e devem cometer pecado enquanto viverem".

[Objeção] As Escrituras não dizem que "um homem justo peca sete vezes por dia"?

[Resposta] Na verdade, não. O que está escrito é: "sete vezes cairá o justo" (Pv 24.16). Mas isso é bem diferente. Primeiro, porque as palavras "por dia" não estão no texto. Segundo, porque não há nenhuma menção a cair em pecado. A referência aqui é a cair em aflição temporal.

[Objeção] Entretanto em outra parte Salomão diz: "Não há homem justo sobre a terra [...] que não peque" (Ec 7.20).

[Resposta] Sem dúvida era assim nos dias de Salomão, sim, e de Salomão a Cristo não houve pessoa que não pecasse. Mas qualquer que fosse o caso daqueles sob a lei, podemos afirmar seguramente, com São João, que, desde o advento do evangelho, "todo aquele que é nascido de Deus não peca" (1Jo 5.18, RC).

Os privilégios dos cristãos não devem, de modo algum, ser avaliados pelo que o Antigo Testamento registra sobre aqueles que estavam sob a dispensação judaica, considerando que a plenitude dos tempos agora chegou, o Espírito Santo nos foi dado, a grande salvação de Deus foi concedida aos mortais pela revelação de Jesus Cristo. O reino dos céus agora foi estabelecido na terra; sobre isso, o Espírito de Deus declarou antigamente (tão longe está Davi de ser o padrão ou modelo da perfeição cristã): "o mais fraco dentre eles, naquele dia, será como Davi, e a casa de Davi será como Deus, como o Anjo do Senhor diante deles" (Zc 12.8).

[Objeção] No entanto os próprios apóstolos cometeram pecados: Pedro por dissimulação (Gl 2.11), Paulo pela áspera contenda com Barnabé (At 15.36-41).

[Resposta] Suponhamos que seja assim. Nesse caso, argumentaríeis: "Se dois dos apóstolos cometeram pecado, então todos os outros cristãos, em todas as eras, cometem e devem cometer pecado enquanto viverem"? Não, que Deus nos livre de falar assim. Nenhuma necessidade de pecar foi imposta sobre eles; a graça de Deus lhes era, com certeza, suficiente. Assim como é suficiente para nós hoje em dia.

[Objeção] Mas São Tiago diz: "todos tropeçamos em muitas coisas" (Tg 3.2).

[Resposta] Verdade, mas quem são as pessoas de quem se está falando? Ora, aqueles "muitos mestres" (Tg 3.1) ou professores que Deus não enviou; não o próprio apóstolo, nem qualquer cristão de verdade. Que, ao usar o pronome "nós", cujo emprego como figura de linguagem era comum em todos os outros textos bíblicos, o apóstolo não poderia estar incluindo a si mesmo nem a qualquer outro verdadeiro crente, é evidente, em primeiro lugar, pelo versículo nove: "Com ela, bendizemos ao Senhor e Pai; também, com ela, amaldiçoamos os homens, feitos à semelhança de Deus" (Tg 3.9). Com certeza não nós, apóstolos! Não nós, crentes! Em segundo lugar, pelas palavras que precedem o texto: "Meus irmãos, não vos torneis, muitos de vós, mestres, sabendo que havemos de receber maior juízo. Porque todos tropeçamos em muitas coisas" (Tg 3.1-2). Quem? Não os apóstolos nem os verdadeiros crentes, mas aqueles que iriam "receber maior juízo"; seriam julgados com mais rigor por causa de todos os erros cometidos. Além disso, em terceiro lugar, o próprio versículo prova que "tropeçamos em muitas coisas" não pode ser dito nem de todas as pessoas, nem de todos os cristãos. Pois imediatamente se segue a menção a um homem que "não tropeçou em muitas coisas", como fazia aquele "nós" mencionado primeiro; de quem, portanto, supostamente se distingue, sendo chamado de "perfeito varão".

[Objeção] Entretanto o próprio São João declara: "Se dissermos que não temos pecado nenhum, a nós mesmos nos enganamos, e a verdade não está em nós" (1Jo 1.8), e "Se dissermos que não temos cometido pecado, fazemo-lo mentiroso, e a sua palavra não está em nós" (1Jo 1.10).

[Resposta] Eu respondo: (1) O décimo versículo esclarece o sentido do oitavo. "Se dissermos que não temos pecado nenhum", no oitavo, é explicado por "Se dissermos que não temos cometido pecado", no décimo versículo. (2) A questão em consideração não é se pecamos ou não até agora; e nenhum desses versículos afirma que pecamos ou cometemos pecados agora. (3) O nono versículo explica tanto o oitavo quanto o décimo: "Se confessarmos os nossos pecados, ele é fiel e justo para nos perdoar os pecados e nos purificar de toda injustiça". É como se ele houvesse dito: "Já afirmei antes que o sangue de Cristo purifica-nos de todo pecado". E ninguém pode dizer: "Não preciso; não tenho pecado do qual deva ser purificado". "Se dissermos que não temos cometido pecado", ou seja, "Se dissermos que não temos pecado nenhum, a nós mesmos nos enganamos" e fazemos de Deus um mentiroso. Mas "se confessamos os nossos pecados, ele é fiel e justo" não só "para nos perdoar os pecados", como também para "nos purificar de toda injustiça", para que possamos "ir e não pecar mais" (Jo 8.11). Assim, em conformidade tanto com a doutrina de São João quanto com todo o espírito do Novo Testamento, chegamos a esta conclusão: um cristão é tão perfeito que não comete pecado.

Este é o glorioso privilégio de todo cristão, sim, mesmo que ele seja apenas um recém-nascido em Cristo. Mas apenas dos cristãos maduros se pode afirmar que são, em tal sentido, perfeitos e, em segundo lugar, que estão livres dos maus pensamentos e das más inclinações. Primeiro, dos pensamentos maus ou pecaminosos. Realmente, de onde viriam eles? "De dentro, do coração dos homens, é que procedem os maus desígnios" (Mc 7.21). Portanto, se o coração deixa de ser mau, então não gera mais pensamentos maus. Pois "não pode a árvore boa produzir frutos maus" (Mt 7.18).

E, assim como estão livres dos maus pensamentos, também o estão das inclinações más. Todos podem dizer com São Paulo: "Estou crucificado com Cristo; logo, já não sou eu quem vive, mas Cristo vive em mim" (Gl 2.19-20), palavras que descrevem claramente uma libertação tanto do pecado interior quanto do exterior. Isso é expresso tanto negativamente, "já não sou eu quem vive", minha natureza vil, o corpo pecaminoso, é destruído; quanto positivamente, "Cristo vive em mim", e portanto tudo o que é santo, justo e bom. Essas duas afirmações, "Cristo vive em mim" e "já não sou eu quem vive", estão inseparavelmente ligadas. Pois que comunhão existe entre a luz e as trevas, ou entre Cristo e Belial (2Co 6.15)?

Em consequência, aquele que vive nesses cristãos "purificou-lhes pela fé o coração" (At 15.9) a tal ponto que todo o que tem Cristo em si, "a esperança da glória" (Cl 1.27), "a si mesmo se purifica [...], assim como ele é puro" (1Jo 3.3). Ele é purificado do orgulho; pois Cristo era humilde de coração (Mt 11.29). É purificado do desejo e da obstinação, pois Cristo desejou apenas cumprir a vontade do Pai. E é purificado da ira, no sentido comum da palavra; pois Cristo era manso e gentil. Digo "no sentido comum da palavra" porque ele se zanga diante do pecado, ao mesmo tempo que sofre pelo pecador. Sente descontentamento diante de toda ofensa contra Deus, mas apenas terna compaixão pelo ofensor.

Assim, Jesus salva seu povo dos pecados (Mt 1.21), não apenas dos externos, mas dos pecados do coração.

[Objeção] "Verdade", dizem alguns, "mas não antes da morte; não neste mundo."

[Resposta] Ao contrário. São João diz: "Nisto é em nós aperfeiçoado o amor, para que, no Dia do Juízo, mantenhamos confiança; pois, segundo ele é, também nós somos neste mundo" (1Jo 4.17). O apóstolo aqui, para além de toda contradição, fala de si mesmo e de outros cristãos vivos, de quem afirma categoricamente que, não apenas na morte ou depois dela, mas "neste mundo", eles são "segundo ele é".

Perfeitamente adequadas a isso são suas palavras no primeiro capítulo: "Deus é luz, e não há nele treva nenhuma" (1Jo 1.5). E se "andarmos na luz, como ele está na luz, mantemos comunhão uns com os outros, e o sangue de Jesus, seu Filho, nos purifica de todo pecado" (1Jo 1.7). E novamente: "Se confessarmos os nossos pecados, ele é fiel e justo para nos perdoar os pecados e nos purificar de toda injustiça" (1Jo 1.9). Ora, é evidente que o apóstolo aqui fala de uma libertação produzida neste mundo. Pois ele não diz que o sangue de Cristo purificará (na hora da morte ou no dia do julgamento), mas que "nos purifica" no tempo presente, a nós, cristãos viventes, "de todo pecado". E é igualmente evidente que, se algum pecado permanecer, não fomos purificados de *todo* pecado. Se qualquer injustiça permanecer na alma, ela não foi purificada de *toda* injustiça. Que ninguém diga que isso se refere apenas à justificação, ou à purificação de toda a culpa do pecado. Em primeiro lugar, porque isso seria confundir dois elementos que o apóstolo distingue claramente, pois menciona, primeiro, "nos perdoar os pecados" e, depois, "nos purificar de toda injustiça". Em segundo lugar, porque isso é afirmar a justificação pelas obras, no sentido mais extremo possível; é tornar toda santidade interna, assim como externa, necessariamente anterior à justificação. Pois se a purificação de que se fala aqui não é nada além da purificação da culpa advinda do pecado, então não somos purificados da culpa, ou seja, não somos justificados, a não ser sob a condição de vivermos "na luz, como Deus está na luz". Resta, então, que os cristãos são salvos neste mundo de todo pecado, de toda injustiça; que eles são agora, em tal sentido, perfeitos, a ponto de não cometerem pecado, de estarem livres de todos os maus pensamentos e más inclinações.

Não seria possível que um discurso desse tipo, que contradizia diretamente a opinião favorita de muitos que eram considerados por outros e possivelmente por si mesmos como os melhores cristãos (quando, sendo assim, eles, na verdade, não eram cristãos), não causasse protestos. Muitas respostas ou críticas, portanto, eram esperadas, mas tive a agradável surpresa de ver que me enganara. Não soube de nenhuma resposta ou crítica, então prossegui calmamente em meu caminho.

13 Pouco tempo depois, creio que na primavera de 1741, publicamos um segundo volume de hinos. Como a doutrina ainda era muito mal compreendida e, consequentemente, falseada, julguei necessário explicar o tema em mais detalhe, o que foi feito no prefácio, como se segue:

Este grande dom de Deus, a salvação de nossa alma, não é outro senão a imagem de Deus recém-estampada em nosso coração. É uma renovação dos crentes no "espírito do entendimento" (Ef 4.23), à semelhança daquele que os criou. Deus agora já tem o machado do julgamento pronto para cortar a raiz das árvores (Mt 3.10; Lc 3.9), "purificando-lhes pela fé o coração" (At 15.9) e "purificando todos os pensamentos de seu coração pela inspiração do Espírito Santo". Com essa esperança, de que verão a Deus como ele é, eles "serão purificados assim como ele é puro" (1Jo 3.3), e "segundo é santo aquele que os chamou, tornar-se-ão santos também eles mesmos em todo o seu procedimento" (1Pe 1.15). Não que já tenham atingido tudo o que devem atingir, ou que já sejam, nesse sentido, perfeitos. Mas, diariamente, "vão indo de força em força" (Sl 84.7), "contemplando, como por espelho, a glória do Senhor", sendo "transformados de glória em glória, na sua própria imagem, como pelo Senhor, o Espírito" (2Co 3.18).

E "onde está o Espírito do Senhor, aí há liberdade" (2Co 3.17), tal liberdade "da lei do pecado e da morte" (Rm 8.2) que os filhos deste mundo não acreditarão, embora lhes tenha sido anunciada (At 13.41). O Filho libertou (Jo 8.36) os que nasceram de Deus daquela grande raiz do pecado e da amargura, o orgulho. Eles sentem que toda a sua "suficiência vem de Deus" (2Co 3.5), que é ele somente que está em todos os seus pensamentos, "porque Deus é quem efetua neles tanto o querer como o realizar, segundo a sua boa vontade" (Fp 2.13). Sentem que não são eles que falam, mas o Espírito do Pai que fala por meio deles (Mt 10.20), e que, em tudo o que for feito por suas mãos, "o Pai, que permanece neles, faz as suas obras" (Jo 14.10). Desse modo, Deus é para eles "tudo em todos" (1Co 15.28), e eles são nada diante dele. São libertos da vontade pessoal, pois não desejam nada além da vontade santa e perfeita de Deus; não o suprimento das necessidades, nem o alívio da dor,[12] nem vida, nem morte, nem qualquer criatura; mas clamando continuamente no íntimo de sua alma: "Pai, faça-se a tua vontade" (Mt 26.42). Estão livres dos maus pensamentos, então estes não podem entrar neles, nem por um instante. Outrora, quando um pensamento mau chegava, olhavam para o alto e ele desaparecia. Mas agora esse tipo de pensamento não entra, pois não há espaço para ele em uma alma preenchida por Deus. Estão livres das distrações quando oram. Sempre que abrem o coração de maneira mais íntima diante de Deus, não pensam em nada

---

[12] Essa afirmação é forte demais. Até mesmo nosso Senhor desejou o alívio da dor. Pediu por isso, mas com resignação: "Todavia, não seja como eu quero, e sim como tu queres" (Mt 26.39). (N. do A.)

que esteja no passado,[13] ausente ou por vir, mas apenas em Deus. Antigamente, pensamentos errantes se intrometiam e acabavam se esvaindo como fumaça, mas agora aquela fumaça não se ergue mais. Não têm medo nem dúvidas, nem quanto ao seu estado em geral, nem quanto a qualquer ação em particular.[14] A "unção que vem do Santo" (1Jo 2.20) ensina-lhes a todo momento o que devem fazer e o que devem dizer;[15] assim, também não têm nenhum motivo para discutir a esse respeito.[16] São, em certo sentido, livres de tentações, pois, embora inúmeras tentações os cerquem, elas não os perturbam.[17] Em todos os momentos, sua alma está calma e equilibrada, o coração firme e estável. Sua paz, fluindo como um rio, "excede todo o entendimento" (Fp 4.7) e eles "exultam com alegria indizível e cheia de glória" (1Pe 1.8). Pois "foram selados pelo Espírito para o dia da redenção" (Ef 4.30), tendo, "em si, o testemunho" (1Jo 5.10) de que o Senhor lhes dará uma coroa de justiça no dia de sua volta (2Tm 4.8).[18]

Não que todos sejam filhos do diabo até serem renovados no amor desse modo. Ao contrário, quem tiver firme confiança em Deus de que, pelos méritos de Cristo, seus pecados estão perdoados, é um filho de Deus e, se permanece nele, herdeiro de todas as promessas. Nem deve ele, de modo algum, perder a confiança ou negar a fé que recebeu, por ser fraca, ou por estar sendo provado pelo fogo, de modo que sua alma seja "contristada por várias provações" (1Pe 1.7).

[13] Essa afirmação é forte demais. Ver o sermão "Os pensamentos inconstantes" [sermão 41 de John Wesley]. (N. do A.)

[14] Frequentemente isso acontece, mas só por algum tempo. (N. do A.)

[15] Por pouco tempo pode ser assim, mas não sempre. (N. do A.)

[16] Às vezes não sentem necessidade de fazer isso, às vezes sentem. (N. do A.)

[17] Às vezes não perturbam, às vezes perturbam intensamente. (N. do A.)

[18] Nem todos os que foram salvos do pecado se sentem assim; muitos deles ainda não chegaram a esse estágio. (N. do A.)

Tampouco ousamos afirmar, como fizeram alguns, que toda essa salvação é dada de uma vez. Existe, sim, uma obra instantânea, tanto quanto gradual, de Deus em seus filhos; e existe, sabemos, uma nuvem de testemunhas que receberam, em um instante, uma percepção clara do perdão dos pecados ou da presença constante do Espírito Santo. Mas não sabemos de um único caso, em nenhum lugar, de uma pessoa receber, em um mesmo momento, a remissão dos pecados, o testemunho da presença do Espírito e um coração novo e purificado.

Realmente não há como sabermos como Deus atua, mas o modo geral como ele o faz é o seguinte: aqueles que antes "confiavam em si mesmos, por se considerarem justos" (Lc 18.9), ricos e possuidores de muitos bens, e que não precisavam de nada, são, pela aplicação da Palavra de Deus pelo Espírito, convencidos de que são pobres e estão nus (Ap 3.17). Tudo o que fizeram lhes volta à lembrança e lhes é apresentado, para que vejam a ira de Deus pendendo sobre a cabeça deles e sintam que merecem a condenação ao inferno. Perturbados, clamam pelo Senhor, e ele lhes mostra que lhes removeu os pecados, e abre o reino dos céus em seu coração, "justiça, e paz, e alegria no Espírito Santo" (Rm 14.17). A dor e o sofrimento se vão, e "o pecado não terá domínio" (Rm 6.14) sobre eles. Sabendo que são justificados gratuitamente no sangue dele por meio da fé, eles "têm paz com Deus por meio de Jesus Cristo" (Rm 5.1); desfrutam da "esperança da glória de Deus" (Rm 5.2), e "o amor de Deus é derramado em seu coração" (Rm 5.5).

Permanecem nessa paz durante dias, semanas ou meses, e geralmente supõem que não terão mais guerras, até que alguns dos velhos inimigos, os pecados interiores, ou o pecado que mais tenazmente os assedia (talvez a ira ou o desejo), ataca-os novamente e "empurram-nos violentamente para fazê-los cair" (Sl 118.13). Então surge o medo de não resistir até o fim e, muitas vezes, a dúvida sobre se Deus os teria esquecido ou se eles não teriam enganado a si mesmos achando que seus pecados lhes haviam sido perdoados. Sob essas nuvens sombrias, principalmente se conversam com o diabo, ficam tristes o dia todo. Mas raramente demora até que o Senhor responda, enviando-lhes o Espírito Santo para confortá-los, para testificar com o espírito deles que eles são filhos de Deus (Rm 8.16). Então tornam-se mansos, gentis e educáveis, como crianças pequenas. E agora, pela primeira vez, veem o fundo de seu coração,[19] que antes Deus não lhes revelara, para que a alma e o espírito que ele criara não sucumbissem diante dele. Agora veem toda a abominação oculta que lá existe, as profundezas do orgulho, teimosia e inferno; apesar disso, têm em si mesmos esse testemunho: "Se somos filhos, somos também herdeiros, herdeiros de Deus e co-herdeiros com Cristo" (Rm 8.17), mesmo em meio às provações de "fogo ardente" (1Pe 4.12) que aumentam continuamente tanto a forte percepção de que são incapazes de se salvar sozinhos quanto o desejo inexprimível que sentem de uma plena renovação conforme a imagem de Cristo, "em justiça e retidão" (Ef 4.24). Então Deus está atento ao desejo daqueles que o temem e lhes dá um olho único e um coração puro; imprime neles sua própria "efígie e inscrição" (Mt 22.20); ele os recria em Cristo Jesus; vem a eles com o Filho e o Espírito abençoado e, estabelecendo sua morada na alma deles, leva-os ao descanso reservado para o povo de Deus (Hb 4.9).

Neste ponto, não posso deixar de observar: (1) Essa é a explicação mais forte que já demos da perfeição cristã; de fato, forte demais em mais do que um aspecto, como comentei nas notas acrescentadas. (2) Não há mais nada que tenhamos

---

[19] Não é surpreendente que, embora esse livro tenha sido publicado 24 anos atrás, alguém ouse me atacar dizendo que se trata de uma doutrina nova, sobre a qual jamais ensinei? (N. do A, publicada pela primeira vez em 1765.)

acrescentado sobre esse assunto, quer em verso, quer em prosa, que não esteja direta ou indiretamente contido nesse prefácio. De maneira que, quer nossa doutrina atual esteja certa, quer errada, é a mesma que ensinamos desde o início.

14 Não preciso dar provas adicionais disso, multiplicando citações do livro. Basta citar parte de um hino, o último daquele volume:

Senhor, um descanso seria,
Concorda toda a gente,
Repleto de pura alegria,
E amor a ti somente;

Nele os desejos d'alma são
Para o alto voltados;
Dor, medo e dúvida se vão,
Pelo amor desterrados.

Libertados de todo o mal
(Pelo Filho), passamos
Por sobre o poder infernal,
E em liberdade andamos.

Seguindo um caminho seguro,
A morte superamos;
E aperfeiçoados no amor puro,
No paraíso entramos.

Que eu possa agora conhecer
O bom descanso, enfim!
Confere-me agora o poder
De ao pecado dar fim!

Torna-me o coração mais manso
E dá-me fé, Senhor:

Concede-me assim o descanso,
Teu sábado de amor.

Vem, meu Salvador, sem demora!
Desce em minh'alma agora!
Nunca mais te afastes de mim,
Meu autor e meu fim.

Que esse instante de glória intensa
Não seja mais adiado;
Vem, fabulosa recompensa,
Para a qual fui criado.

Vem, Pai, Filho e Espírito Santo,
Sela-me os reinos teus!
Que eu perca tudo em ti, portanto:
Tudo se perca em Deus![20]

Não está suficientemente claro: (1) Que aqui temos também uma salvação tão plena e elevada como jamais enunciamos? (2) Que falamos disso como algo que se recebe pela mera fé, sendo impedido apenas pela descrença? (3) Que essa fé e, em consequência, a salvação que ela acarreta, é mencionada como algo recebido em um instante? (4) Que se supõe que esse instante possa ser agora, que não precisamos esperar outro momento, pois "eis, agora, o tempo oportuno, eis, agora, o dia da salvação" (2Co 6.2)? E, por fim, que, se alguém fala algo diferente, é esse alguém que está introduzindo uma nova doutrina entre nós?

15 Cerca de um ano depois, em 1742, publicamos outro volume de hinos. Tendo a controvérsia chegado então ao auge,

---

[20] Do hino "Lord, I Believe a Rest Remains", de Charles Wesley, *Hymns and Sacred Poems*, vol. i. (N. da T.)

falamos sobre o tema mais extensamente do que nunca. Em consequência, muitos hinos desse volume tratam expressamente do assunto. O mesmo ocorre no prefácio, que, por ser curto, será transcrito aqui por inteiro:

(1) Talvez o preconceito geral contra a perfeição cristã venha principalmente de um mal-entendido sobre sua natureza. Admitimos de bom grado e declaramos repetidamente que não existe perfeição nesta vida que implique uma dispensa de fazer o bem e cumprir todas as ordens de Deus, ou que nos livre de ignorância, erro, tentação e milhares de fraquezas relacionadas à carne e ao sangue.

(2) Em primeiro lugar, não só admitimos, mas sustentamos firmemente, que não existe perfeição nesta vida que implique qualquer dispensa de cumprir todas as ordens de Deus ou de fazer o bem a todas as pessoas enquanto vivermos, embora "principalmente aos da família da fé" (Gl 6.10). Acreditamos que não apenas os recém-nascidos em Cristo, que encontraram há pouco a redenção por meio do sangue dele, mas também aqueles que amadureceram e se tornaram perfeitos, são obrigados, indispensavelmente e sempre que possível, a comer do pão e beber do vinho em memória dele (Lc 22.19-20; 1Co 11.24-26) e a "examinar as Escrituras" (Jo 5.39; At 167.11); a, por meio do jejum, assim como da temperança, subjugar o corpo e reduzi-lo "à escravidão" (1Co 9.27); e, acima de tudo, a desvelar a alma na oração, tanto em segredo quanto diante da congregação.

(3) Em segundo lugar, acreditamos que não existe perfeição nesta vida que nos livre completamente da ignorância ou do erro em coisas não essenciais à salvação, nem das múltiplas tentações, nem das inúmeras fraquezas, pelas quais o corpo corruptível oprime, com maior ou menor intensidade, a alma. Não encontramos nenhum fundamento nas Escrituras para supor que aqueles "que habitam em casa de barro"

(Jó 4.19) estejam totalmente imunes a fraquezas corporais ou à ignorância em várias questões, ou para imaginar que alguém seja incapaz de errar ou de cair em várias tentações.

(4) "Mas a quem vos referis, então, quando falais de alguém perfeito?" Referimo-nos a alguém que tem "a mente de Cristo" (1Co 2.16) e capaz de "andar assim como ele andou" (1Jo 2.6); alguém "que é limpo de mãos e puro de coração" (Sl 24.4), ou que foi purificado "de toda impureza, tanto da carne como do espírito" (2Co 7.1); alguém em quem "não há nenhum tropeço" (1Jo 2.10) e que, dessa forma, "não comete pecado" (1Jo 3.9, RC). Para falar de modo um pouco mais claro: entendemos por essa expressão bíblica, "um homem perfeito", alguém em quem Deus cumpriu sua fiel palavra: "de todas as vossas imundícias e de todos os vossos ídolos vos purificarei" (Ez 36.25) e "livrar-vos-ei de todas as vossas imundícias" (Ez 36.29). Com isso entendemos alguém a quem Deus tenha santificado em tudo, "espírito, alma e corpo" (1Ts 5.23), alguém que "é luz, e não há nele treva nenhuma" (1Jo 1.5), pois "o sangue de Jesus, seu Filho, purifica-o de todo pecado" (1Jo 1.7).

(5) Esse cristão pode agora testificar a toda a humanidade: "Estou crucificado com Cristo; logo, já não sou eu quem vive, mas Cristo vive em mim" (Gl 2.19-20). Ele é santo como é santo o Deus que o chamou, tanto no coração quanto "em todo o procedimento" (1Pe 1.15). Ele "ama o Senhor, seu Deus, de todo o coração", e o serve com "toda a sua força" (Dt 6.5). Ele "ama o próximo", a todas as pessoas, "como a si mesmo" (Gl 5.14), sim, "como também Cristo nos amou" (Ef 5.2); em especial aqueles que o perseguem (Mt 5.44), porque não conhecem o Filho, nem o Pai. De fato, a sua alma é toda amor, repleta "de ternos afetos de misericórdia, de bondade, de humildade, de mansidão, de longanimidade" (Cl 3.12). E a sua vida se harmoniza com isso, sendo plena "da operosidade da fé, da abnegação do amor e

da firmeza da esperança" (1Ts 1.3). "E tudo o que faz, seja em palavra, seja em ação, faz em nome do Senhor Jesus" (Cl 3.17). Em suma, ele faz "a vontade de Deus, assim na terra como no céu" (Mt 6.10).

(6) Isso é ser perfeito, ser "totalmente santificado"; até mesmo (nas palavras do arcebispo Usher) "ter um coração tão ardente com o amor de Deus que continuamente ofereça cada pensamento, palavra e ação como sacrifício espiritual, agradável a Deus em Cristo". Em cada pensamento de nosso coração, em cada palavra de nossa boca, em cada obra de nossas mãos, "proclamar as virtudes daquele que nos chamou das trevas para a sua maravilhosa luz" (1Pe 2.9). Oh, que tanto nós quanto todos os que buscam ao Senhor Jesus com sinceridade possam, assim, ser "aperfeiçoados na unidade" (Jo 17.23)!

Essa é a doutrina que pregamos desde o início, e que pregamos até hoje. Com efeito, examinando-a sob cada ponto de vista e comparando-a várias vezes com a palavra de Deus, por um lado, e a experiência dos filhos de Deus, por outro, tivemos uma compreensão mais vasta da natureza e das propriedades da perfeição cristã. Mas ainda não há nenhuma divergência entre nossos mais antigos e mais recentes sentimentos. Nossa primeira ideia a respeito da perfeição cristão foi que seria ter "a mente de Cristo" (1Co 2.16) e "andar assim como ele andou" (1Jo 2.6); ter toda a mente que havia nele e sempre andar como ele andou. Em outras palavras, sermos interna e externamente devotados a Deus; complemente devotados de coração e vida. E ainda temos essa mesma ideia hoje, sem qualquer acréscimo ou diminuição.

16 Os hinos referentes a esse assunto nesse volume são numerosos demais para transcrever. Citarei apenas uma parte de três deles:

Quero provar, meu Salvador,
Que Jesus, teu nome, nos cura;
Se me aperfeiçoo no amor,
Tudo o que tenho ou sou não dura;
Habito em tua palavra pura:
"Será o servo como o Senhor".

Atende essa finalidade
Por que deste a vida em penhor;
Salva de toda a iniquidade,
Restaura e ao céu conduz, Senhor.
Se não me purificas, são
Tua dor e minha fé vãos.

Não morreste p'ra que eu vivesse
Para ti, não mais para mim?
E corpo, alma e espírito eu desse
A quem por mim se deu ao fim?
Leva, meu Deus, pois nos salvaste,
O que com teu sangue compraste.

Este servo tem um pedido,
De misericórdia e verdade:
Gloria em mim teu nome ungido;
Torna-me teu com brevidade;
Faz-me puro completamente;
Que eu viva e morra teu somente.[21]

Oh, vem do mundo me escolher,
Se em tua retidão me adornar;
Se em teu reino eu merecer
De meu Salvador te chamar;

[21] Do hino "Savior from Sin, I Want to Prove", de John e Charles Wesley, *Hymns and Sacred Poems*, vol. ii, p. 80-81. (N. da T.)

Teu Santo Espírito despeja,
Limpa-me e mata a minha sede;
Que a tua chuva benfazeja
Lave os meus pecados adrede.

Tira-me as manchas de pecados;
Meus ídolos sejam banidos,
Meus pensamentos maus, purgados;
O orgulho e impureza, varridos.

O ódio que habita a carnal mente
Remove-me logo, Senhor;
Dá-me um coração bom, paciente,
Puro, cheio de fé e amor.

Que agora, livre do pecado,
Tua palavra eu possa provar,
Em teu descanso apalavrado,
Na Canaã do amor entrar!

Oh, que eu atinja a perfeição!
Não permitas que eu caia, insisto,
Menos que nada eu seja, e então,
Sinta tudo em todos em Cristo.[22]

A graça que operas acalma,
É perfeita na alma;
O coração se purifica,
O espírito amplifica.

Salvo em tua palavra sagrada
De toda enfermidade,

[22] Do hino "God of All Power, and Truth, and Grace", também conhecido como "The Promise of Sanctification", de Charles Wesley, *Hymns and Sacred Poems*, vol. ii, p. 261-264. (N. da T.)

Com a saúde restaurada
À pura santidade.

Anda em gloriosa liberdade,
Morto ao pecado, já:
Salvo pelo Filho, a Verdade,
Livre ele agora está.

A luz de tua glória domina
Sua alma, renovada,
Firmada em retidão divina,
De Deus plena e adornada.

Descanso, vida, paz; unção
Do povo do Senhor;
Amor, elo de perfeição,
E sua alma é amor.

Oh, evangelho, som jovial!
Em mim Cristo terei;
Verei sua face, afinal,
E aqui santo serei!

A casa de barro visita,
O lar futuro agita;
— Entra sem demora, ó Senhor,
Em teu templo de amor!

Vem e revela-te, meu Deus,
Provê toda a carência;
Só tu preenches minha essência:
Vem, ó meu Deus, meu Deus!

Satisfaz meu grande desejo,
De amplitude infinita!

Dá-me o que em minha alma almejo,
Tudo o que em ti habita![23]

17 Na segunda-feira, 25 de junho de 1744, nossa Primeira Conferência se iniciou; seis clérigos e todos os nossos pregadores estavam presentes. Na manhã seguinte, refletimos profundamente sobre a doutrina de santificação, ou perfeição. As perguntas a respeito dessa questão e a essência das respostas dadas foram as seguintes:

PERGUNTA: O que quer dizer ser santificado?
RESPOSTA: Ser renovado à imagem de Deus, "em justiça e retidão procedentes da verdade" (Ef 4.24).
P: O que implica ser um perfeito cristão?
R: Amar a Deus de todo o coração, alma e força (Dt 6.5).
P: Isso quer dizer que todo o pecado interior é removido?
R: Sem dúvida. Senão como se poderia dizer que fomos purificados de todas as imundícias (Ez 36.29)?

Nossa Segunda Conferência começou no dia 1º de agosto de 1745. Na manhã seguinte, falamos sobre a santificação nos seguintes termos:

P: Quando a santificação interna se inicia?
R: No momento em que a pessoa é justificada. (No entanto, o pecado permanece nela, sim, a semente de todo pecado, até que seja completamente santificada.) A partir desse momento, o crente morre gradualmente para o pecado e cresce em graça.
P: Normalmente isso não acontece só um pouco antes de a pessoa morrer?

[23] Do hino "Lord, I Believe Thy Work of Grace", de Charles Wesley, *Hymns and Sacred Poems*, vol. ii, p. 301-304. (N. da T.)

R: Sim, para aqueles que não esperam receber a santificação antes.

P: Mas podemos esperar recebê-la antes?

R: Por que não? Pois, embora asseguremos: (1) que, de modo geral, os crentes que conhecemos até agora só foram santificados perto da morte; (2) que poucos daqueles para quem São Paulo escreveu suas epístolas o haviam sido naquela época; (3) que ele próprio, naquele tempo em que escrevia as epístolas, também não o havia sido; ainda assim nada disso prova que não o possamos ser hoje em dia.

P: De que forma devemos pregar a santificação?

R: Para aqueles que não se mostram interessados, com muita cautela. Para os que se mostram interessados, sempre por meio de promessa; sempre usando de persuasão e não força.

Nossa Terceira Conferência iniciou-se na terça-feira, 13 de maio de 1746. Nessa Conferência lemos atentamente as atas das duas conferências anteriores para verificar se algo ali contido poderia ser eliminado ou alterado após reflexões mais profundas. Mas não vimos razões para alterar em nenhum aspecto o que já havíamos estabelecido antes em concordância mútua.

Nossa Quarta Conferência teve início na terça-feira, 16 de junho de 1747. Como estavam presentes várias pessoas que não acreditavam na doutrina da perfeição, concordamos em examiná-la a partir dos fundamentos.

A fim de cumprir essa tarefa, foram feitas as seguintes perguntas:

P: Até que ponto concordam conosco os irmãos que discordam de nós a respeito da santificação completa?

R: Eles concordam: (1) que todos devem ser santificados completamente no momento da morte; (2) que, até então, o crente cresce diariamente em graça, aproximando-se cada vez mais da perfeição; (3) que devemos buscá-la continuamente e exortar todos os outros a fazerem o mesmo.

P: Em que concordamos com eles?

R: Concordamos: (1) que muitos daqueles que morreram na fé, e mesmo a maior parte dos que conhecemos, só foram aperfeiçoados no amor um pouco antes da morte; (2) que o termo *santificado* é seguidamente aplicado por São Paulo a todos os que foram justificados; (3) que, ao usar esse termo, ele raramente, ou nunca, quer dizer "salvos de todos os pecados"; (4) que, em consequência, não é adequado usá-lo nesse sentido sem acrescentar a palavra *completamente*, *integralmente* ou outro sinônimo; (5) que os escritores inspirados falam quase sempre daqueles ou para aqueles que foram justificados, mas muito raramente daqueles ou para aqueles que foram completamente santificados;[24] (6) que, em consequência, cabe a nós falar constantemente do estado de justificação, porém mais raramente,[25] "pelo menos em termos diretos e explícitos, em relação à santificação completa".

P: Qual é, então, o ponto em que divergimos?

R: É o seguinte: devemos esperar ser salvos de *todos os pecados* antes da hora da morte?

P: Existe nas Escrituras alguma clara promessa de que Deus irá nos salvar de todos os pecados?

R: Existe, sim: "É ele quem redime a Israel de todas as suas iniquidades" (Sl 130.8).

Isso é expresso de forma mais detalhada na profecia de Ezequiel: "Então, aspergirei água pura sobre vós, e ficareis purificados; de todas as vossas imundícias e de todos

---

[24] Ou seja, não falam para eles ou deles exclusivamente, mas falam deles ou para eles juntamente com os outros constantemente. (N. do A.)

[25] Mais raramente, concedo, porém em alguns lugares de modo bastante frequente, enfático e explícito. (N. do A.)

os vossos ídolos vos purificarei. [...] Livrar-vos-ei de todas as vossas imundícias" (Ez 36.25,29). Nenhuma promessa pode ser mais clara. E a isso o apóstolo se refere francamente nesta exortação: "Tendo, pois, ó amados, tais promessas, purifiquemo-nos de toda impureza, tanto da carne como do espírito, aperfeiçoando a nossa santidade no temor de Deus" (2Co 7.1). Igualmente clara e direta é aquela antiga promessa: "O SENHOR, teu Deus, circuncidará o teu coração e o coração de tua descendência, para amares o SENHOR, teu Deus, de todo o coração e de toda a tua alma" (Dt 30.6).

P: Alguma afirmação a respeito disso aparece no Novo Testamento?

R: Aparece, e exposta em termos muito claros. Por exemplo, em 1João 3.8. "Para isto se manifestou o Filho de Deus: para destruir as obras do diabo"; as obras do diabo, sem qualquer limitação ou restrição; mas todo pecado é obra do diabo. Paralelamente a isso, temos a afirmação de São Paulo: "Cristo amou a igreja e a si mesmo se entregou por ela [...], para a apresentar a si mesmo igreja gloriosa, sem mácula, nem ruga, nem coisa semelhante, porém santa e sem defeito" (Ef 5.25-27).

No mesmo sentido vai a afirmação dele em Romanos 8, versículos 3 e 4: "isso fez Deus enviando o seu próprio Filho [...], a fim de que o preceito da lei se cumprisse em nós, que não andamos segundo a carne, mas segundo o Espírito" (Rm 8.3-4).

P: Existe mais alguma evidência no Novo Testamento que nos autorize a esperar que sejamos salvos de todos os pecados?

R: Existe, sem dúvida; tanto nas orações quanto nos mandamentos, que equivalem às afirmações de maior força.

P: A que orações vos referis?

R: Orações pela santificação completa, as quais, se não existisse tal conceito, seriam mera zombaria da parte de Deus. A saber: (1) "Livra-nos do mal" (Mt 6.13). Ora, quando isso for feito, quando estivermos livres de todo mal, não restará pecado. (2) "Não rogo somente por estes, mas também por aqueles que vierem a crer em mim, por intermédio da sua palavra; a fim de que todos sejam um; e como és tu, ó Pai, em mim e eu em ti, também sejam eles em nós; [...] eu neles, e tu em mim, a fim de que sejam aperfeiçoados na unidade" (Jo 17.20-21,23). (3) "Por esta causa, me ponho de joelhos diante do Pai [...], para que [...] vos conceda que [...], estando vós arraigados e alicerçados em amor, [possais] compreender, com todos os santos, qual é a largura, e o comprimento, e a altura, e a profundidade e conhecer o amor de Cristo, que excede todo entendimento, para que sejais tomados de toda a plenitude de Deus" (Ef 3.14-19). (4) "O mesmo Deus da paz vos santifique em tudo; e o vosso espírito, alma e corpo sejam conservados íntegros e irrepreensíveis na vinda de nosso Senhor Jesus Cristo" (1Ts 5.23).

P: Que mandamentos dizem algo com esse mesmo teor?

R: (1) "Sede vós perfeitos como perfeito é o vosso Pai celeste" (Mt 5.48). (2) "Amarás o Senhor, teu Deus, de todo o teu coração, de toda a tua alma e de todo o teu entendimento" (Mt 22.37). Se o amor de Deus enche todo o coração, não pode haver pecado nele.

P: Existem provas de que isso aconteça antes da hora da morte?

R: (1) Pela própria natureza de um mandamento, que não é dado para os mortos, mas para os vivos. Portanto, "Amarás o Senhor, teu Deus, de todo o teu coração" não pode significar que o farás quando morreres, mas enquanto vives.

(2) Por textos explícitos das Escrituras: (i) "Porquanto a graça de Deus se manifestou salvadora a todos os homens, educando-nos para que, renegadas a impiedade e as paixões mundanas, vivamos, no presente século, sensata, justa e piedosamente, aguardando a bendita esperança e a manifestação da glória do nosso grande Deus e Salvador Cristo Jesus, o qual

a si mesmo se deu por nós, a fim de remir-nos de toda iniquidade e purificar, para si mesmo, um povo exclusivamente seu, zeloso de boas obras" (Tt 2.11-14). (ii) "[Ele] nos suscitou plena e poderosa salvação [...] para usar de misericórdia com os nossos pais e lembrar-se da sua santa aliança e do juramento que fez a Abraão, o nosso pai, de conceder-nos que, livres das mãos de inimigos, o adorássemos sem temor, em santidade e justiça perante ele, todos os nossos dias" (Lc 1.69-76).

P: Há algum exemplo nas Escrituras de pessoas que tenham alcançado esse estado?

R: Sim; São João e todos aqueles de quem ele diz: "Nisto é em nós aperfeiçoado o amor, para que, no Dia do Juízo, mantenhamos confiança; pois, segundo ele é, também nós somos neste mundo" (1Jo 4.17).

P: O senhor pode mostrar um exemplo de agora? Onde está aquele que é assim perfeito?

R. Para alguns que fazem tal pergunta, pode-se responder: se eu conhecesse um desses aqui, não te diria, pois tua pergunta não vem do amor. És como Herodes: só procuras a criança para matá-la.

De forma mais direta, porém, respondemos: há muitas razões pelas quais deve haver poucos exemplos indiscutíveis, se houver algum. Quantos inconvenientes isso traria à própria pessoa, ser fixada como um alvo para todos lhe atirarem dardos! E quão improdutivo seria para os opositores! "Se não ouvem a Moisés e aos Profetas", nem a Cristo e seus apóstolos, "tampouco se deixarão persuadir, ainda que ressuscite alguém dentre os mortos" (Lc 16.31).

P: Não temos a tendência de nutrir uma antipatia secreta por qualquer um que diga que foi salvo de todos os pecados?

R: É bem possível que tenhamos, e por várias razões; em parte por causa de uma preocupação com o bem das almas, que podem se prejudicar se essas pessoas não forem o que alegam ser; em parte por um tipo de inveja implícita daqueles que falam de conquistas mais elevadas do que as nossas; e em parte pela lentidão e pouca disposição naturais de nosso coração para acreditar nas obras de Deus.

P: Por que não podemos continuar na alegria da fé até sermos aperfeiçoados no amor?

R: Por que não, com efeito? A verdade é que o santo sofrimento não extingue essa alegria; mesmo quando estamos embaixo da cruz, enquanto compartilhamos profundamente dos sofrimentos de Cristo, podemos desfrutar de uma alegria indizível.

A partir desses excertos, fica inegavelmente claro, não apenas qual era a opinião minha e de meu irmão, mas também qual era a opinião de todos os pregadores a nós associados, nos anos de 1744, 1745, 1746 e 1747. Não me lembro de, em nenhuma dessas conferências, ter ouvido alguma voz divergente; mas, quaisquer dúvidas que algum de nós tivesse quando nos reunimos, foram todas extintas antes de nos separarmos.

18 No ano de 1749, meu irmão publicou dois volumes impressos de *Hinos e Poemas Sagrados*. Como não cheguei a ver esses hinos e poemas antes de serem publicados, havia alguns pontos neles de que eu discordava. Mas aprovei a maioria dos hinos sobre esse tema. Cito aqui alguns poucos versos:

Senhor, manifesta-te enfim,
Destrói toda a obra do inferno;
Sem pecado aparece em mim,
Dá-me o contentamento eterno;
Tua face abençoada revela
Tua presença: a data mais bela.[26]

[26] Do hino "Where Is My God, My Joy, My Hope?", de Charles Wesley, *Hymns and Sacred Poems*, vol. i, p. 203. (N. da T.)

Vem rápido me resgatar,
Toma o momento, vem;
Traz o meu espírito ao lar,
E na paz o mantém.

Não mais vagar, Senhor,
Por toda a vasta terra;
Prende o teu cativo de amor
E em Deus então me encerra![27]

Livra os prisioneiros e a paz nos dá;
No momento final, fim do mal e da dor.
Ouve este pedido, a hora seja já,
Tu, nosso Redentor e Consolador![28]

Tira-me o pecado inato,
Que o jugo já se quebre;
Faz-me teu de fato.

Parceiro de tua perfeição,
Deixa-me ser em ti
Nova criação.[29]

Transforma-me, Senhor meu,
Submete-me ao jugo teu:
Dá-me a pérola somente
De uma humilde e mansa mente.

Torna-me mais sossegado;
Dá-me o descanso esperado;

[27] Do hino "Help, Lord, the Busy Foe", de Charles Wesley, *Hymns and Sacred Poems*, vol. i, p. 247. (N. da T.)
[28] Do hino "O Jesus, the Rest", de Charles Wesley, *Hymns and Sacred Poems*, vol. ii, p. 124. (N. da T.)
[29] Do hino "Jesu, Come, My Hope of Glory", de Charles Wesley, *Hymns and Sacred Poems*, vol. ii, p. 156. (N. da T.)

Cessar toda a atividade,
Perfeito na santidade.[30]

Vem nesta hora escolhida,
Traz teu reino celestial!
Enche-nos de força ungida,
Tira as sementes do mal.[31]

Vem, Cordeiro, sacrificado
Por todo pecador;
Vem e limpa todo pecado,
Com sangue salvador.

Que entre na alma, poderoso,
Fundo como o pecado:
Restaure o espírito alquebrado,
Limpa todo leproso![32]

Cativos da esperança,
Erguei-vos! É o Senhor
Que voa nas asas do amor,
E a redenção nos lança.

No sangue a remissão
A receber te chama:
"Vem a mim, o Deus do perdão,
E crê!", ele conclama.

Olhos em ti, Senhor,
Até o mal ir embora,

[30] Do hino "Lovely Lamb, I Come to Thee", de Charles Wesley, *Hymns and Sacred Poems*, vol. ii, p. 162. (N. da T.)
[31] Do hino "Light of Life, Seraphic Fire", de Charles Wesley, *Hymns and Sacred Poems*, vol. ii, p. 168. (N. da T.)
[32] Do hino "Jesu, Thou Strength of All That Turn", de Charles Wesley, *Hymns and Sacred Poems*, vol. ii, p. 171. (N. da T.)

Rejeita o jugo do opressor,
Joga as correntes fora.

Não mais a natureza
Irá nos dominar;
A fé nos dá poder, certeza,
De que irás nos salvar.[33]

Em nós que morremos, Senhor,
Tua morte todo dia,
Revela-te o aperfeiçoador;
Teu Espírito envia!

O teu mistério nos desvela,
Dá-me o segundo dom;
Em mim teu puro ser revela,
E em todo o que é bom.[34]

Nele a paz não tarda,
Seu poder nos guia!
Sua graça nos guarda
Na hora sombria.

Quando há tentação
Guarda-nos, sereno,
Em sua salvação,
Em seu amor pleno.

O verbo feliz,
Que nos livra, diz!
Senhor, tens, enfim
Bênção para mim?

[33] Do hino "Prisoners of Hope, Arise", de Charles Wesley, *Hymns and Sacred*, vol. ii, p. 188. (N. da T.)
[34] Do hino "The Babes in Christ Should Nothing Know", de Charles Wesley, *Hymns and Sacred Poems*, vol. ii, p. 194-195. (N. da T.)

A paz nesta hora
Irradia então;
Abre o céu agora
No meu coração![35]

Uma segunda edição desses hinos foi publicada no ano de 1752, sem qualquer outra alteração além da correção de alguns poucos erros de grafia.

Citei extensamente esses trechos porque neles se vê, sem qualquer possibilidade de exceção, o que até hoje tanto meu irmão quanto eu sustentamos: (1) que a perfeição cristã é aquele amor a Deus e ao próximo, que implica a libertação de todos os pecados; (2) que é recebida meramente pela fé; (3) que é dada instantaneamente, em um momento; (4) que devemos esperá-la, não na morte, mas a cada momento; que agora é o tempo da oportunidade, agora é o dia da salvação (2Co 6.2).

19 Na Conferência do ano de 1759, percebendo certo perigo de que uma divergência de opiniões pudesse se infiltrar sutilmente entre nós, refletimos amplamente sobre essa doutrina outra vez. Logo depois, publiquei *Thoughts on Christian Perfection* [Pensamentos sobre a perfeição cristã] prefaciado com o seguinte aviso:

O tratado que se segue não foi, de forma alguma, concebido para satisfazer a curiosidade de qualquer pessoa. Não visa a provar a doutrina amplamente, em oposição àqueles que a refutam e ridicularizam; não, nem a responder às numerosas objeções contra ela que possam ser levantadas até por pessoas sérias. Tudo o que pretendo aqui é, simplesmente, expor quais são meus pensamentos sobre esse tema; o que a

---

[35] Do hino "All Thanks to the Lamb", de Charles Wesley, *Hymns and Sacred*, vol. ii, p. 323-324. (N. da T.)

perfeição cristã, segundo minha compreensão, inclui e o que não inclui; assim como acrescentar algumas observações e instruções práticas relativas ao assunto.

Como esses pensamentos foram, inicialmente, compostos na forma de perguntas e respostas, sob esse formato os manterei. São exatamente os mesmos que tenho defendido por mais de vinte anos.

PERGUNTA: O que é perfeição cristã?

RESPOSTA: Amar a Deus de todo o coração, mente, alma e forças. Isso implica que nenhuma inclinação má, nada contrário ao amor, permanece na alma, e que todos os pensamentos, palavras e ações são governados pelo puro amor.

P: O senhor afirma que essa perfeição exclui todas as fraquezas, ignorância e erros?

R: Afirmo exatamente o contrário, como sempre fiz.

P: Mas como pode todo pensamento, palavra e obra ser governados pelo puro amor e, ao mesmo tempo, a pessoa ser sujeita à ignorância e ao erro?

R: Não vejo contradição nisso: "Uma pessoa pode estar repleta de puro amor e, ainda assim, estar sujeita a erros". De fato, não espero ver-me livre de erros até que esse corpo mortal se revista de imortalidade (1Co 15.53). Acredito que isso é uma consequência natural do fato de que a alma habita um corpo de carne e sangue. Pois agora não conseguimos pensar a não ser com a mediação desses órgãos corporais que foram afetados pela queda do paraíso tanto quanto o resto de nosso corpo. E, portanto, não podemos evitar equívocos de pensamento até que o corruptível se revista de incorruptibilidade (1Co 15.54).

Podemos levar esse pensamento ainda mais além. Um erro de julgamento pode causar um erro na prática. Por exemplo: o erro do Marquês de Renty relativo à natureza da mortificação, fruto de um preconceito educacional, ocasionou um erro prático, a sua decisão de usar uma cinta de ferro. E deve haver milhares de exemplos desse tipo, mesmo entre aqueles que estão no estágio mais elevado da graça. Entretanto, quando toda palavra e toda ação brotam do amor, tal erro não é propriamente um pecado. Ainda assim, tal erro não suporta o rigor da justiça de Deus, exigindo o sangue expiatório.

P: Qual foi a opinião de todos os nossos irmãos que se reuniram em Bristol em agosto de 1758 sobre esse assunto?

R: Foi expressa nos seguintes termos: (1) Todos podem cometer erros enquanto vivem. (2) Um erro de opinião pode ocasionar um erro de prática. (3) Todo erro desse tipo é uma transgressão da lei perfeita. Portanto, (4) Todo erro desse tipo, se não fosse o sangue expiatório, nos exporia à condenação eterna. (5) Segue-se que mesmo os mais perfeitos necessitam continuamente dos méritos de Cristo, mesmo para suas transgressões presentes, e podem dizer a si mesmos, assim como a seus irmãos: "Perdoa-nos as nossas dívidas" (Mt 6.12; Lc 11.4).

Isso explica facilmente o que, de outra forma, pareceria absolutamente inexplicável; a saber, que alguns não se ofendem quando falamos do grau mais elevado de amor, e no entanto não querem nos ouvir falar de uma vida sem pecado. O motivo é este: eles sabem que todas as pessoas estão sujeitas ao erro, tanto na ação quanto no discernimento. Mas não sabem, ou não percebem, que isso não é pecado, se o amor é o único princípio da ação.

P: Mesmo assim, se vivem sem pecado, isso não exclui a necessidade de um Mediador? Não fica claro, pelo menos, que eles não têm mais necessidade de Cristo em seu ofício sacerdotal?

R: Longe disso. Ninguém sente tanto a necessidade de Cristo como eles; ninguém depende tão completamente dele. Pois Cristo não dá vida à alma separada dele, mas nele e com ele. Por conseguinte as palavras dele são igualmente verdadeiras de todas as pessoas, em qualquer estado de graça que estejam: "Como não pode o ramo produzir fruto de si mesmo, se não permanecer na videira, assim, nem vós o podeis dar, se não permanecerdes em mim. [...] porque sem mim" (ou separado de mim) "nada podeis fazer" (Jo 15.4-5).

Precisamos de Cristo em todo estado de graça nos seguintes aspectos: (1) Toda graça que recebemos é uma dádiva gratuita dele. (2) Nós a recebemos como uma compra feita por ele, apenas em consideração ao preço que pagou. (3) Recebemos essa graça não apenas de Cristo, mas em Cristo. Pois nossa perfeição não é como a de uma árvore, que floresce pela seiva vinda da própria raiz, mas, como foi dito antes, é como a de um ramo que, unido à vinha, produz fruto; porém, se cortado dela, seca e murcha. (4) Todas as nossas bênçãos, temporais, espirituais e eternas, dependem da intercessão dele em nosso favor, que é um dos ramos de seu ofício sacerdotal, do qual, portanto, sempre temos igual necessidade. (5) Os melhores cristãos ainda necessitam de Cristo em seu ofício sacerdotal, para expiar suas omissões, deficiências, erros de julgamento e ação, e defeitos de vários tipos. Pois tudo isso são desvios da lei perfeita e, em consequência, exigem expiação. Todavia, que não são exatamente pecados é algo que entendemos a partir das palavras de São Paulo: "O amor não pratica o mal contra o próximo; de sorte que o cumprimento da lei é o amor" (Rm 13.10). Ora, os erros e outras fraquezas se devem, forçosamente, ao estado corruptível do corpo; não são, de forma alguma, contrários ao amor; logo, não são, no sentido bíblico, pecados.

Para explicar um pouco mais detalhadamente a questão: (1) Não só o pecado propriamente dito (ou seja, uma transgressão voluntária de uma lei conhecida), mas o pecado assim chamado impropriamente (ou seja, uma transgressão involuntária de uma lei divina, conhecida ou desconhecida), requer o sangue expiatório. (2) Acredito que não exista perfeição nesta vida que exclua essas transgressões involuntárias, que entendo serem consequência natural da ignorância e erros inseparáveis da mortalidade. (3) Portanto, perfeição sem pecados é uma expressão que nunca uso, pelo receio de parecer contradizer a mim mesmo. (4) Acredito que uma pessoa repleta de amor a Deus ainda é suscetível a essas transgressões involuntárias. (5) Pode-se chamar tais transgressões de pecados, caso se deseje: eu não o faço, pelas razões acima mencionadas.

P: Que conselho daria àqueles que as chamam e aos que não as chamam assim?

R: Que aqueles que não as chamam de pecados jamais pensem que eles mesmos ou quaisquer outras pessoas tenham atingido tal estado de perfeição que possam permanecer diante da justiça infinita sem um Mediador. Tal atitude demonstra a mais profunda ignorância ou a mais alta arrogância e presunção.

Quanto àqueles que as chamam de pecado, que tenham cuidado para não confundir esses defeitos com os pecados propriamente ditos.

Todavia, como evitar essa confusão? Como distinguir uns de outros, se todos são indiscriminadamente chamados de pecados? Tenho muito receio de que, se admitirmos que alguns pecados são compatíveis com a perfeição, poucos limitariam essa ideia somente àqueles defeitos a respeito dos quais a afirmação seria verdadeira.

P: Como pode uma tendência ao erro ser compatível com o amor perfeito? Uma pessoa que foi aperfeiçoada no amor não está sempre sob sua influência? E pode algum erro advir do puro amor?

R: (1) Muitos erros são compatíveis com o amor puro. (2) Alguns podem derivar dele por acidente; isto é, o próprio amor pode nos induzir ao erro. O amor puro ao nosso próximo, brotando do amor a Deus, não se ressente do mal, acredita e tem esperança em tudo (1Co 13.5,7). Ora, essa mesma disposição, confiante, pronta a acreditar e a esperar o melhor de todas as pessoas, pode fazer que pensemos que algumas pessoas são melhores do que realmente são. Existe aqui, então, um erro manifesto, que decorre por acidente do puro amor.

P: Como podemos evitar fixar a perfeição em um ponto alto ou baixo demais?

R: Seguindo a Bíblia e fixando a perfeição tão alto quanto o faz a Escritura. Nem mais alto, nem mais baixo do que isto: o amor puro a Deus e ao próximo; amar a Deus de todo o coração e a alma, e ao próximo como a nós mesmos (Mt 22.37-39). É o amor governando o coração e a vida, perpassando todas as nossas disposições, palavras e ações.

P: Suponha que alguém tenha atingido esse estágio. O senhor o aconselharia a falar dele?

R: Inicialmente talvez ele nem consiga se conter; o fogo seria tão intenso dentro dele que o desejo de declarar a bondade amorosa do Senhor o carregaria como uma torrente. Mas depois talvez consiga, e então seria aconselhável não falar disso àqueles que não conhecem a Deus (provavelmente isso só os incitaria a contradizê-lo e a blasfemar), nem a quaisquer outros, se não houver algum motivo em particular ou algum bem em vista. E então ele deve ter o cuidado especial de evitar toda aparência de vaidade; falar com a mais profunda humildade e reverência, atribuindo a Deus toda a glória.

P: Não seria melhor ficar absolutamente calado, sem falar disso em hipótese alguma?

R: Com o silêncio, pode-se evitar muitos dissabores, que, natural e forçosamente, se seguirão caso a pessoa simplesmente declare, mesmo entre crentes, o que Deus operou em sua alma. Se, portanto, tal pessoa só consultasse a carne e o sangue, ficaria completamente em silêncio. Mas isso não poderia ser feito com a consciência tranquila; pois, sem dúvida, ela deveria falar. Não se acende uma candeia para colocá-la debaixo do alqueire (Mt 5.15); se as pessoas não fazem isso, muito menos o Deus que tudo sabe. Ele não ergue semelhante monumento de poder e amor para escondê-lo de toda a humanidade. Ao contrário, a intenção dele é que seja uma bênção geral para os que são simples de coração. Não visa com isso apenas à felicidade daquele indivíduo, mas a animar e encorajar outros a buscarem a mesma bênção. Sua vontade é que "muitos vejam essas coisas" e se alegrem, "e confiem no Senhor" (Sl 40.3). Além disso, nada sob o céu estimula mais o desejo daqueles que foram justificados do que conversar com aqueles que eles acreditam que hajam experimentado uma salvação ainda mais elevada. Isso coloca a salvação plenamente diante deles e aumenta a fome e a sede de alcançá-la; uma vantagem que teria sido completamente perdida se a pessoa que foi salva se ocultasse no silêncio.

P: Existe algum modo de se evitar os dissabores que geralmente recaem sobre aqueles que relatam terem sido salvos?

R: Parece que isso não pode ser completamente evitado enquanto os aspectos carnais forem ainda tão fortes mesmo entre os crentes. No entanto, algo poderia ser feito, se o pregador de cada local se dispusesse a: (1) conversar livremente com todos que agem dessa forma; e (2) agir para impedir o tratamento injusto ou cruel daqueles em favor dos quais existem provas razoáveis.

P: O que é uma prova razoável? Como podemos saber com certeza que alguém foi salvo de todos os pecados?

R: Não temos como saber com certeza se alguém foi salvo (ou mesmo justificado), a não ser que Deus queira nos dotar do milagroso discernimento espiritual. Mas entendemos que seriam provas suficientes para qualquer pessoa racional e, como tal, deixariam pouca margem de dúvida, quer da verdade, quer da profundidade da obra: (1) Se tivermos clara evidência do comportamento exemplar da pessoa por algum tempo antes dessa suposta mudança, isso nos daria motivos para acreditar que ela não "falaria mentiras a favor de Deus" (Jó 13.7), mas falaria o que sente, nem mais, nem menos. (2) Se ela fizesse um relato preciso do momento e do modo como essa mudança se produziu, com um discurso seguro, que não pudesse ser refutado. (3) Se estiver evidente que todas as suas palavras e ações subsequentes são santas e irrepreensíveis.

Para resumir: (1) Tenho muitas razões para acreditar que essa pessoa não mentiria. (2) Ela testifica perante Deus: "Não sinto pecado, apenas amor; oro, regozijo-me e dou graças sem cessar, e tenho um claro testemunho interno de minha total renovação, assim como de minha justificação". Ora, se eu não tiver nada a opor a esse simples testemunho, devo acreditar nele.

É inútil objetar: "Mas sei de várias coisas em que essa pessoa se engana". Pois já estabelecemos que todos os que estão vivos são suscetíveis de erro e que um erro de julgamento às vezes produz um erro na prática; embora se deva tomar muito cuidado para não se fazer mau uso dessa concessão. Por exemplo: mesmo alguém que tenha sido aperfeiçoado no amor pode se enganar a respeito de outra pessoa e achar, em um caso particular, que ela seja mais ou menos imperfeita do que na verdade é. Em decorrência, pode falar dela com mais ou menos severidade do que exige a verdade. E, nesse sentido (ainda que este não seja o significado primordial em São Tiago), "todos tropeçamos em muitas coisas" (Tg 3.2). Portanto, isso não é nenhuma prova de que a pessoa que assim fala não seja perfeita.

P: Não será uma prova se a pessoa for surpreendida ou perturbada por um ruído, uma queda ou algum perigo súbito?

R: Não, pois alguém pode se sobressaltar, tremer, mudar de cor ou sofrer outras perturbações físicas enquanto a alma descansa calmamente em Deus e permanece em perfeita paz.

Ao contrário, a mente em si pode estar profundamente perturbada, experimentar tristeza extrema, sentir-se perplexa e oprimida pela aflição e a angústia, a um ponto excruciante, enquanto o coração se apega a Deus por um amor perfeito e a vontade está totalmente submetida a ele. Não era assim com o próprio Filho de Deus? Algum ser humano mortal suporta o sofrimento, a angústia, a agonia que ele suportou? Apesar disso, ele não conheceu o pecado.

P: Pode alguém que tenha um coração puro preferir comida boa à comida ruim; ou valer-se de recursos para agradar aos sentidos que não sejam estritamente necessários? Em caso afirmativo, em que eles diferem dos outros?

R: A diferença entre esses e os outros ao comerem alimentos saborosos é que: (1) Eles não necessitam de nada disso para serem felizes, pois possuem uma fonte de felicidade dentro de si. Veem e amam a Deus. Por conseguinte, sempre se regozijam e dão graças em tudo (1Ts 5.16,18). (2) Eles podem se valer desses recursos, mas não os procuram. (3) Eles os utilizam com moderação e não por seu valor em si. Tendo esses pontos como premissas, respondemos de forma direta: essa pessoa pode desfrutar da boa comida sem o perigo que acompanha aqueles que não foram salvos do pecado. Pode preferi-la à comida ruim, embora igualmente saudável, como um meio de aumentar o sentimento de gratidão, com um olho único voltado a Deus, "que tudo nos proporciona ricamente para nosso aprazimento" (1Tm 6.17). Pelo mesmo princípio, pode aspirar o aroma de uma flor, ou comer um cacho de uvas, ou desfrutar de qualquer outro prazer que não diminua, mas aumente o seu encanto por Deus. Portanto, tampouco podemos dizer que alguém aperfeiçoado no amor seria incapaz de se casar ou de se ocupar de negócios. Se a pessoa se sente chamada a qualquer dessas atividades, seria mais capaz do que nunca; podendo fazer tudo sem pressa, com cuidado, sem qualquer distração de espírito.

P: Se dois cristãos perfeitos têm filhos, como esses poderiam nascer em pecado, se não há pecado em seus pais?

R: Esse é um caso possível, mas não provável; duvido que já tenha ocorrido ou vá ocorrer. Mas, deixando essa ressalva de lado, respondo: o pecado me é transmitido não pela geração anterior, mas pelos meus primeiros pais. "Em Adão todos morrem" (1Co 15.22), e "pela desobediência de um só homem, muitos se tornaram pecadores" (Rm 5.19). Toda a humanidade, sem exceção, estava em Adão quando ele comeu o fruto proibido.

Temos um notável exemplo disso na jardinagem: enxertos de macieiras boas em troncos de macieiras bravas produzem frutos excelentes; mas se plantarmos os caroços dos frutos, o que acontecerá? Produzirão apenas maçãs bravas.

P: Mas o que o perfeito faz melhor do que os outros? Mais do que os crentes comuns?

R: Talvez nada; talvez a providência de Deus o tenha protegido por circunstâncias externas. Talvez não faça muito, ao menos externamente; embora deseje e anseie dedicar-se a Deus e ser usado por ele, não fala muito nem executa muitas obras. Assim como o Senhor também não falava muito, nem fez tantas grandes obras quanto alguns de seus apóstolos (Jo 14.12). E daí? Isso não prova que ele não tenha uma graça maior, por meio da qual Deus mede a obra externa. Eis o que ele diz: "Verdadeiramente, vos digo que esta viúva pobre deu mais do que todos" (Lc 21.3). Verdadeiramente, esse pobre homem, com suas poucas palavras mal pronunciadas, falou mais do que todos eles. Verdadeiramente, essa pobre mulher que ofereceu um copo de água fresca fez mais do que todos eles. Oh, "não julgueis segundo a aparência", e aprendei a julgar "pela reta justiça" (Jo 7.24)!

P: O fato de que não sinto força nas palavras ou orações de alguém não seria uma prova contra ele?

R: Não, pois talvez isso seja uma falha sua. É provável que não sinta qualquer força nas palavras dele, se qualquer um destes obstáculos estiver no caminho: (1) A apatia da sua própria alma. Os fariseus, que estavam mortos espiritualmente, não sentiram força nem mesmo nas palavras daquele que falou como "jamais alguém falou" (Jo 7.46). (2) A culpa de algum pecado de que não se arrependeu pesando na consciência. (3) Preconceito de algum tipo contra ele. (4) O fato de não acreditar que o estado que ele declara ter atingido seja possível. (5) Falta de disposição para achar ou reconhecer que ele o tenha atingido. (6) Superestimá-lo ou idolatrá-lo. (7) Superestimar a si mesmo e ao próprio julgamento. Se qualquer uma dessas hipóteses for verdadeira, é de admirar que não sinta a força no que ele diz? Mas e os outros, não a sentem? Caso sintam, o seu argumento vai por terra. E se não sentem, será que não há nenhum desses obstáculos no caminho deles, também? É preciso ter certeza disso antes de construir qualquer argumentação em torno dessa questão, e mesmo assim a sua argumentação provará tão somente que graça e dons nem sempre vêm juntos.

[Objeção] Mas ele não está à altura da minha ideia de cristão perfeito.

[Resposta] E talvez ninguém jamais tenha estado ou estará. Pois a sua ideia pode estar além — ou, pelo menos, fora — dos registros bíblicos. Pode incluir mais do que a Bíblia ensina, ou, de qualquer forma, algo que ela não ensina. A perfeição das Escrituras é o puro amor enchendo o coração e governando todas as palavras e ações. Se a sua ideia inclui algo mais ou algo diferente, não é bíblica; então não é de admirar que um cristão biblicamente perfeito não esteja à altura dela.

Temo que para muitos isso seja uma pedra de tropeço. Eles incluem tantos ingredientes quantos lhes apraz, não segundo as Escrituras, mas conforme a própria imaginação, em sua concepção de alguém que seja perfeito, e então negam de pronto que alguém que não se harmoniza com essa ideia imaginária seja perfeito.

Mais cuidado ainda devemos tomar para conservar sempre diante de nós o simples ensinamento bíblico. O amor puro reinando solitário no coração e na vida — essa é toda a concepção de perfeição bíblica.

P: Quando uma pessoa pode considerar que já atingiu esse estado?

R: Quando, depois de ter sido plenamente convencida do pecado inato, por uma convicção mais profunda e clara do que a antes experimentada, e depois de ter experimentado a mortificação gradual desse pecado, experimenta uma morte total para o pecado e uma completa renovação no amor e imagem de Deus, de modo a regozijar-se sempre, a orar sem cessar e a dar graças em tudo. Não que "sentir só amor e não pecado" seja prova suficiente. Muitos experimentaram isso por algum tempo, antes que sua alma fosse plenamente renovada. Ninguém, portanto, deve acreditar que a obra está completa até que seja acrescentado o testemunho do Espírito, atestando a total santificação, tão claramente quanto a justificação.

P: Por que é que alguns imaginam que foram assim santificados quando, na realidade, não foram?

R: Acontece que eles não julgam por todos os sinais precedentes, mas apenas por uma parte deles, ou por outros sinais que são ambíguos. Todavia não conheço nenhum caso de alguém que tenha prestado atenção a todos os sinais e, ainda assim, tenha se enganado sobre essa questão. Creio que não existe ninguém assim no mundo. Se uma pessoa está profunda e plenamente convencida, depois da justificação, do pecado inato; se então experimenta a mortificação gradual do pecado e depois uma total renovação à imagem de Deus; se, a essa mudança, imensamente maior do que aquela operada quando ela foi justificada, é acrescentado um testemunho claro e direto da renovação; então considero tão impossível que essa pessoa possa estar enganada quanto que Deus possa mentir. E se alguém que reconheço como uma pessoa de veracidade der testemunho dessas coisas, não devo, sem motivo suficiente, rejeitar esse testemunho.

P: Essa morte para o pecado e renovação no amor é gradual ou instantânea?

R: Uma pessoa pode permanecer moribunda por algum tempo; ainda assim ela não morre, propriamente falando, até o instante em que a alma é separada do corpo, e nesse instante ela passa a viver na eternidade. De igual modo, ela pode estar morrendo para o pecado durante algum tempo; ainda assim, não está morta para o pecado até que o pecado seja separado de sua alma, e nesse instante ela passa a viver plenamente no amor. E assim como a mudança sofrida quando o corpo morre é de um tipo diferente e infinitamente mais intensa do que qualquer outra que tenhamos experimentado antes — a tal ponto que, até esse momento, é impossível concebê-la —, assim também a mudança operada quando a alma morre para o pecado é de um tipo diferente, e infinitamente mais intensa do que qualquer outra que tenhamos experimentado antes, e do que qualquer um possa conceber até a ter experimentado. Apesar disso, essa pessoa ainda cresce na graça, no conhecimento de Cristo, no amor e na imagem de Deus; e continua crescendo, não apenas até a morte, mas por toda a eternidade.

P: De que forma devemos aguardar essa mudança?

R: Não em indiferença descuidada, nem em inatividade indolente, mas em obediência vigorosa e universal, em zeloso cumprimento de todos os mandamentos, em vigilância e arrependimento, negando a nós próprios e carregando nossa cruz diariamente, assim como em oração sincera, jejum e em atenção absoluta a todas as ordens de Deus. E se alguma pessoa sonha em atingi-la de outra forma (ou ainda, em conservá-la quando for obtida, mesmo quando a tenha alcançado no grau mais elevado), está enganando a própria alma. É verdade que nós a recebemos por simples fé, mas Deus não dá e não dará essa fé se não a buscarmos com todo o empenho, na forma como ele ordenou.

Essa ponderação pode satisfazer aqueles que indagam por que tão poucos receberam a bênção. Indaguem quantos a estão buscando dessa forma, e terão uma resposta adequada.

Há, sobretudo, falta de orações. Quem persevera na oração? Quem luta com Deus para obter algo? Então "nada tendes, porque não pedis, [...] porque pedis mal" (Tg 4.2-3), ou seja, pedis para serdes renovados antes de morrer. *Antes de morrer!* Isso vos contentaria? Não! Pedi que isso seja feito agora, hoje, "durante o tempo que se chama Hoje" (Hb 3.13). Não chameis isso de "fixar um tempo para Deus". Com certeza, hoje é o tempo dele, tanto quanto amanhã. Apressa-te, então, apressa-te! Deixa

> Tua alma em desejo irromper
> De o êxtase provar;
> Teu coração ansioso arder,
> No amor se dispersar![36]

P: Não podemos continuar na paz e alegria até sermos aperfeiçoados no amor?

R: Com certeza podemos, pois o reino de Deus não está dividido contra si mesmo; por conseguinte, que os crentes não se sintam desencorajados de "alegrar-se sempre no Senhor" (Fp 4.4). E, no entanto, podemos nos sentir aflitos pela natureza pecaminosa que ainda permanece em nós. É bom que tenhamos um sentido agudo dessa situação e um desejo veemente de nos livrarmos dela. Mas isso só deveria

---

[36] Do hino "Jesus Hath Died That I Might Live", de Charles Wesley. (N. da T.)

nos incitar com mais força ainda a nos refugiarmos em todos os momentos junto ao nosso poderoso Auxiliador, e a prosseguir com ainda mais empenho "para o alvo, para o prêmio da soberana vocação de Deus em Cristo Jesus" (Fp 3.14). E quanto mais forte é a sensação do nosso pecado, tanto mais forte deve ser a sensação do amor dele.

P: Como devemos tratar aqueles que acham que atingiram a perfeição?

R: Examinai-os com imparcialidade e exortai-os a orar fervorosamente para que Deus lhes mostre tudo o que esteja no coração deles. As mais ardentes exortações para exceder em toda a graça e os mais fortes avisos para evitar todo o mal são dados em todo o Novo Testamento para aqueles que estão no estado mais alto da graça. Mas isso deve ser feito com a máxima delicadeza e sem qualquer crueldade, severidade ou irritação. Devemos ter o cuidado de evitar a mera aparência de ira, aspereza ou desprezo. Deixemos a Satanás a tarefa da tentação e de gritar a seus filhos: "Experimentemo-lo pelo ultraje e pela tortura a fim de conhecer sua serenidade e pôr à prova sua resignação" (Sb 2.19, BJ). Se eles forem fiéis à graça dada, não correm o risco de perecer por isso; não, nem mesmo se permanecerem nesse erro até seu espírito retornar a Deus.

P: Que dano podemos lhes causar se os tratarmos asperamente?

R: Estão errados ou não estão. Se estão, isso pode destruir-lhes a alma. Isso não é nada impossível, não, nem improvável. Pode irritá-los ou desencorajá-los, a ponto de afundarem na descrença e não serem mais capazes de se erguer. Se não estão errados, isso pode causar sofrimento àqueles que Deus não queria que sofressem, e fazer muito mal à nossa própria alma. Pois não há dúvida de que aquele que toca neles, toca, na verdade, na menina do olho de Deus (Zc 2.8). Se eles estão realmente imbuídos do espírito divino, comportar-se de modo grosseiro ou desdenhoso para com eles é ultrajar o Espírito da graça (Hb 10.29). Além disso, dessa forma alimentamos e fazemos crescer dentro de nós mesmos suspeitas ruins e mau humor. Para dar apenas um exemplo: que arrogância é essa, de nos nomearmos inquisidores gerais, juízes monocráticos das profundas coisas de Deus! Estamos qualificados para essa tarefa? Podemos julgar, em todos os casos, até onde chega a fraqueza? O que é parte dela e o que não é? O que é e o que não é, em todas as circunstâncias, compatível com o amor perfeito? Podemos determinar com precisão como isso influenciará a aparência, os gestos, o tom de voz? Se podemos, certamente somos aqueles com quem "morrerá a sabedoria" (Jó 12.2).

P: Se eles ficam descontentes com o fato de que não acreditamos neles, isso não constitui uma prova cabal contra eles?

R: Depende de como é esse descontentamento: se ficam furiosos, é uma prova contra eles; se ficam tristes, não é. Eles devem ficar tristes, se não acreditamos em uma verdadeira obra de Deus e, com isso, privamo-nos da vantagem que poderíamos ter recebido por meio dela. E podemos facilmente confundir essa tristeza com a ira, já que as expressões externas de ambas são bastante semelhantes.

P: Mas não é bom desmascarar aqueles que imaginam haverem alcançado a perfeição quando não a alcançaram?

R: É bom fazer isso por meio de um exame brando, amoroso. Mas não é bom querer triunfar sobre eles. É extremamente errado, caso encontremos um exemplo desse tipo, regozijarmo-nos como se houvéssemos encontrado um grande tesouro. Não deveríamos, em vez disso, ficar tristes, profundamente preocupados, deixar as lágrimas correrem de nossos olhos? Ali estava uma pessoa que parecia ser a prova viva do poder de Deus de "salvar totalmente" (Hb 7.25), mas, infelizmente, não era o que parecia. Foi pesada na balança e achada em falta (Dn 5.27)! E ficamos felizes com isso? Não deveríamos nos regozijar mil vezes mais se houvéssemos encontrado apenas puro amor?

[Objeção] Mas a pessoa se enganou.

[Resposta] E daí? É um erro inofensivo, desde que ela não sinta nada além de amor no coração. É um erro que geralmente revela grande graça, um alto grau tanto de santidade quanto de felicidade. Deveria ser motivo de verdadeira alegria para todos os que são simples de coração; não o erro em si, mas a elevação da graça que, por algum tempo, o ocasiona. Regozijo-me de que essa alma esteja sempre feliz em Cristo, sempre orando e dando graças. Regozijo-me de que ela não tenha uma disposição profana, mas o puro amor a Deus continuamente. E regozijar-me-ei se o pecado for suspenso até ser totalmente destruído.

P: Não há perigo, então, se uma pessoa se engana dessa forma?

R: Não enquanto a pessoa não sentir pecado. Havia perigo antes e haverá novamente quando ela passar por novas provações. Mas enquanto ela não sentir nada além de amor animando-lhe todos os pensamentos, palavras e ações, não há perigo; não apenas está feliz, mas segura, "à sombra do Onipotente" (Sl 91.1); e, pelo amor de Deus, deixemo-la permanecer nesse amor enquanto pode. Enquanto isso, seria bom avisá-la do perigo que haverá se esse amor se esfriar e o pecado reviver; até mesmo do perigo de abandonar a esperança e supor que, por não ter atingido ainda a perfeição, jamais a atingirá.

P: E se ninguém ainda a atingiu? E se todos que acham que a atingiram estão enganados?

R: Convença-me disso e não pregarei mais a esse respeito. Mas entenda-me bem: não construí qualquer doutrina com base nesta ou naquela pessoa. Esta ou qualquer outra pessoa pode estar enganada, e isso não muda a minha opinião. Mas se ninguém ainda atingiu a perfeição, Deus não me enviou para pregar a perfeição.

Vejamos um caso paralelo. Durante muitos anos eu preguei: há uma "paz de Deus, que excede todo o entendimento" (Fp 4.7). Convença-me de que essas palavras foram inúteis; que em todos esses anos ninguém atingiu essa paz; que não existe testemunha viva disso até hoje. Nesse caso, não as pregarei mais.

[Objeção] Oh, mas muitas pessoas morreram nessa paz.

[Resposta] Talvez; mas quero testemunhas vivas. Não posso, na verdade, ter certeza infalível de que esta ou aquela pessoa seja uma testemunha; mas, se tivesse certeza de que não existe nenhuma, teria parado de pregar essa doutrina.

[Objeção] O senhor me entendeu mal. Acredito que algumas pessoas que morreram nesse amor desfrutaram dele bem antes de sua morte. Mas eu não estava certo de que seu testemunho anterior fosse verdadeiro até algumas horas antes de elas morrerem.

[Resposta] O senhor não tinha certeza *infalível* então. Deve ter tido uma certeza razoável antes; o tipo de certeza que pode animar e confortar a própria alma e atender a todos os outros propósitos cristãos. Uma certeza como essa qualquer pessoa sincera pode ter, supondo que haja qualquer testemunha viva, conversando durante uma hora com essa pessoa no amor e temor a Deus.

P: O que importa se alguém atingiu ou não a perfeição, considerando que tantas passagens das Escrituras dão testemunho disso?

R: Se eu estivesse convencido de que ninguém na Inglaterra atingiu o que foi tão clara e fortemente anunciado por vários pregadores, em tantas passagens, e por tanto tempo, eu deveria me convencer de que todos havíamos nos enganado sobre o significado dessas passagens. Consequentemente, nos tempos futuros, eu também deveria ensinar que o "pecado permanecerá até a morte".

20 No ano de 1762, houve um grande crescimento na obra de Deus em Londres. Muitos que até então não se importavam com essas questões ficaram profundamente convencidos de seu estado de condenação; muitos encontraram redenção no sangue de Cristo; vários apóstatas foram recuperados, e um número considerável de pessoas acreditou que Deus as havia salvado de todos os pecados. Prevendo facilmente que Satanás se empenharia em semear o joio entre o trigo (Mt 13.38), esforcei-me ao máximo por avisá-los do perigo, especialmente em relação ao orgulho e ao entusiasmo.[37] E enquanto permaneci na cidade, tive motivos para confiar que continuariam humildes e sóbrios. No entanto, assim que parti, o entusiasmo irrompeu. Dois ou três começaram a tomar sua própria imaginação como revelações de Deus e, então, a supor que nunca morreriam. Esses dois ou três, no esforço de convencer outros, provocaram muito barulho e confusão. Logo depois, as mesmas pessoas, acrescidas de mais algumas, cometeram outras extravagâncias, imaginando-se imunes à tentação, à dor e que possuíssem o dom da profecia e o discernimento espiritual. Quando retornei a Londres, no outono, alguns deles aceitaram as minhas repreensões, mas outros se julgavam acima disso. Ao mesmo tempo, um dilúvio de reprovações caiu sobre mim de quase todos os lados: deles mesmos, porque eu os estava corrigindo o tempo todo, e de outros, porque, diziam eles, eu

---

[37] No século 18 inglês, cenário em que viveu John Wesley, a palavra "entusiasmo" denotava uma espécie de fervor ou exaltação religiosa que alguns consideravam ser resultado de uma inspiração divina. Como pode ser lido neste ensaio, Wesley entendia que muitos desses "entusiastas" estavam iludidos ou se comportavam como fanáticos. (N. da T.)

não os corrigia. Todavia, a mão do Senhor não se deteve, e cada vez mais pecadores se convenciam; enquanto alguns eram convertidos a Deus quase diariamente, outros se prontificavam a amá-lo de todo o coração.

21 Por volta dessa época, um amigo que morava a certa distância de Londres me escreveu as seguintes palavras:

Não fiques preocupado demais se Satanás semeia o joio entre o trigo de Cristo. Sempre foi assim, principalmente em qualquer efusão notável de seu Espírito, e sempre será, até que Satanás seja acorrentado por mil anos. Até então ele sempre imitará e tentará se contrapor à obra do Espírito de Cristo.

Um efeito melancólico disso é que o mundo, que sempre dorme nos braços do maligno, ridiculariza toda obra do Espírito Santo.

Mas o que os verdadeiros cristãos podem fazer? Ora, se agissem de modo digno deles mesmos, deveriam: (1) orar para que toda alma iludida fosse libertada; (2) empenhar-se por resgatá-la no espírito da submissão e, por fim, tomar o máximo cuidado, tanto pela oração quanto pela vigilância, para que a ilusão dos outros não lhes diminua o próprio empenho em buscar aquela santidade universal de alma, corpo e espírito, "sem a qual ninguém verá o Senhor" (Hb 12.14).

De fato, essa criatura completamente nova parece loucura para um mundo louco. Mas ela é, não obstante, a vontade e sabedoria de Deus. Que todos busquemos isso!

Entretanto, alguns que defendem essa doutrina em sua plena extensão se revelam, muitas vezes, culpados de limitar o Todo-poderoso. Ele concede seus dons como bem lhe apraz; assim, não é sábio nem humilde afirmar que uma pessoa precisa ser um crente durante qualquer período de tempo antes de ser capaz de receber um grau elevado do Espírito de santidade.

O método usual de Deus é uma coisa; a sua vontade soberana é outra. Ele tem sábias razões tanto para apressar quanto para retardar sua obra. Às vezes, age de modo súbito e inesperado; às vezes, só depois que o esperamos por um longo tempo.

Com efeito, há muitos anos penso que uma das principais causas pelas quais as pessoas obtêm tão pouco aperfeiçoamento na vida divina é a sua própria frieza, negligência e descrença. E estou falando de crentes!

Que o Espírito de Cristo nos dê um juízo correto em todas as coisas e nos tome com "toda a plenitude de Deus" (Ef 3.19), de modo a sermos "perfeitos e íntegros, em nada deficientes" (Tg 1.4).

22 Por volta da mesma época, cinco ou seis desses crentes equivocados previram que o mundo acabaria no dia 28 de fevereiro.[38] Eu me contrapus a eles de imediato, de todas as formas possíveis, tanto em público quanto em particular. Preguei expressamente sobre o assunto, tanto em West Street quanto em Spitalfields.[39] Alertei a Sociedade, repetidas vezes; falei em separado a todos com quem pude falar, e vi o fruto de meu esforço. Eles fizeram muito poucos novos convertidos: creio que menos de trinta em toda a nossa Sociedade. Não obstante, fizeram muito barulho, criaram fortes motivos de críticas entre aqueles que aproveitavam todas as oportunidades para me

---

[38] Wesley se refere a um grupo de metodistas que levaram o "entusiasmo" longe demais, alegando a capacidade de fazer milagres e de profetizar. No auge desses acontecimentos, um desses entusiastas, George Bell, previu que o mundo acabaria no dia 28 de fevereiro de 1763. Bell foi preso na véspera desse dia, por disseminar o terror entre a população de Londres, proferir blasfêmias e promover encontros em locais não autorizados. Como a profecia não se realizou, a influência de Bell declinou rapidamente em seguida. Esse incidente teve repercussão negativa para os metodistas e, em particular, para John Wesley e a doutrina da perfeição cristã. (N. da T.)

[39] Dois dos principais locais em que John Wesley costumava pregar em Londres. (N. da T.)

atacar e aumentaram bastante o número e a coragem daqueles que se opunham à doutrina da perfeição cristã.

23 Algumas perguntas, agora publicadas por um desses opositores, levaram um homem simples a escrever o seguinte:

PERGUNTAS HUMILDEMENTE PROPOSTAS ÀQUELES QUE NEGAM QUE A PERFEIÇÃO SEJA ALCANÇÁVEL NESTA VIDA.

(1) O Espírito Santo não foi concedido mais amplamente sob o evangelho do que sob a dispensação judaica? Se não foi, em que sentido o Espírito não foi dado, "porque Jesus não havia sido ainda glorificado" (Jo 7.39)?

(2) A glória que se seguiu aos sofrimentos de Cristo (1Pe 1.11) foi uma glória externa ou interna, isto é, a glória da santidade?

(3) Em alguma passagem das Escrituras Deus ordenou que fizéssemos mais do que aquilo que nos prometeu que teríamos a capacidade de fazer?

(4) As promessas de Deus em relação à santidade serão cumpridas nesta vida ou só na outra?

(5) Um cristão deve obedecer a outras leis além daquelas que Deus prometeu inscrever em nosso coração (Jr 31.33; Hb 8.10)?

(6) Em que sentido "o preceito da lei" se cumpre em nós, "que não andamos segundo a carne, mas segundo o Espírito" (Rm 8.4)?

(7) É impossível para qualquer um nesta vida "amar a Deus de todo o coração, de todo o entendimento, de toda a alma e de todas as forças" (Mc 12.30; Lc 10.27)? E está o cristão sujeito a qualquer lei que não seja cumprida nesse amor?

(8) O fato de a alma sair do corpo afeta a sua purificação do pecado inato?

(9) Se afeta, não é alguma outra coisa que não "o sangue de Jesus" que "nos purifica de todo pecado" (1Jo 1.7)?

(10) Se o sangue dele nos purifica de todo pecado enquanto a alma e o corpo estão unidos, isso não acontece nesta vida?

(11) Se é quando essa união cessa, não é na outra vida? E então não é tarde demais?

(12) Se é no momento da morte, em que situação a alma se encontra, quando não está no corpo nem fora dele?

(13) Em alguma passagem Cristo nos ensinou a orar para obtermos algo que ele jamais planejou nos dar?

(14) Cristo não nos ensinou a orar: "faça-se a tua vontade, assim na terra como no céu" (Mt 6.10; Lc 11.2)? A vontade de Deus não se cumpre perfeitamente no céu?

(15) Sendo assim, ele não nos ensinou a orar pela perfeição na terra? Não será, então, sua intenção concedê-la?

(16) São Paulo não orou conforme a vontade de Deus quando pediu que os tessalonicenses fossem santificados "em tudo" e conservados (neste mundo, não no outro, a não ser que ele estivesse orando para os mortos) "íntegros e irrepreensíveis" em corpo e alma "na vinda de nosso Senhor Jesus Cristo" (1Ts 5.23)?

(17) Desejais sinceramente ser libertado do pecado inato nesta vida?

(18) Se desejais, não foi Deus quem vos deu esse desejo?

(19) Se foi Deus, ele vos teria dado esse desejo para zombar de vós, já que é impossível que se cumpra?

(20) Se não sois sincero o bastante nem mesmo para desejar a perfeição, será que não estais discutindo questões que estão fora do vosso alcance?

(21) Alguma vez já orastes a Deus para que purifique "nossos corações e pensamentos", para que possais amá-lo "com perfeição" (LOC)?

(22) Se não desejais o que pedes, nem acreditais que seja alcançável, não estais orando como um tolo o faria?

Que Deus vos ajude a refletir sobre essas questões com calma e imparcialidade!

24 No final daquele ano, Deus chamou para si Jane Cooper,[40] uma luz ardente e brilhante. Como ela foi uma testemunha da perfeição cristã tanto em vida quanto na morte, não estaremos fugindo ao tema se acrescentarmos um breve relato de sua morte, além de uma de suas cartas, contendo uma narração simples e sincera da maneira pela qual Deus quis operar aquela grande transformação em sua alma:

2 DE MAIO DE 1761

Creio que, enquanto conservar a memória, a gratidão permanecerá. Desde que o escutei pregar sobre Gálatas 5.5, vi claramente o verdadeiro estado de minha alma. Aquele sermão descreveu meu coração e como ele desejava ser; ou seja, verdadeiramente feliz. O senhor leu a carta do sr. M., que me descrevia o tipo de religião pelo qual eu ansiava. Desde aquela época, a recompensa surgiu diante de meus olhos e pude buscá-la com empenho. Permaneci velando em oração, às vezes em muita aflição, outras vezes em paciente expectativa de uma bênção. Durante alguns dias antes de o senhor deixar Londres, minha alma repousava sobre uma promessa que recebi enquanto orava: "virá ao seu templo o Senhor, a quem vós buscais" (Ml 3.1). Eu acreditava que ele viria e que ficaria lá como um fogo purificador. Na terça-feira depois de sua partida, pensei que não conseguiria dormir a menos que ele cumprisse sua palavra naquela noite. Desconhecia, até então, a força dessas palavras: "Aquietai-vos e sabei que eu sou Deus" (Sl 46.10). Tornei-me como nada diante dele e desfrutei de uma perfeita tranquilidade em minha alma. Não sabia

---

[40] Jane Cooper era uma simples criada, que John Wesley considerava um exemplo de perfeição cristã. Jane morreu jovem, antes de completar 25 anos. Wesley publicou uma coleção de cartas escritas por ela. (N. da T.)

se ele havia destruído meus pecados; mas desejei saber, para que pudesse louvá-lo.

Entretanto, logo percebi a volta da descrença e gemi com o peso dessa aflição. Na quarta-feira fui a Londres e orei ao Senhor sem cessar. Prometi que, se me salvasse do pecado, eu o louvaria. Abriria mão de tudo para poder conquistar a Cristo. Mas descobri que todas essas súplicas de nada valiam e que, se ele fosse me salvar, seria gratuitamente, por amor do seu nome. Na quinta-feira sofri tantas tentações que pensei em dar cabo de minha vida ou nunca mais conversar com o povo de Deus. Apesar disso, não tinha dúvida de seu amor misericordioso; mas

Pior que a morte amar a Deus
E não a Deus somente.[41]

Na sexta-feira minha angústia se aprofundou. Tentei orar e não consegui. Fui falar com a sra. D., que orou por mim e me disse que aquilo era a morte da natureza pecaminosa. Abri a Bíblia e li: "aos covardes, aos incrédulos, […] a parte que lhes cabe será no lago que arde com fogo e enxofre" (Ap 21.8). Não pude suportar. Abri de novo em Marcos 16.6-7: "Não vos atemorizeis; buscais a Jesus, o Nazareno […] ide, dizei a seus discípulos […] que ele vai adiante de vós para a Galileia; lá o vereis". Ganhei coragem e consegui orar, crendo que veria Jesus ao voltar para casa. Retornei naquela noite e encontrei a sra. G. Ela orou por mim; acreditando na predestinação, ela disse apenas: "Senhor, não fazes acepção de pessoas" (At 10.34). Ele provou que não fazia mesmo, abençoando-me. Em um instante, pude agarrar-me a Jesus Cristo e encontrar a salvação pela simples fé. Ele me assegurou, o Senhor, o Rei, de que estava comigo e que eu não conheceria

[41] Do hino de Charles Wesley, "And Wilt Thou Yet Be Found", também conhecido pelo título "Resignation". (N. da T.)

mais o mal. Então abençoei aquele que me havia visitado e redimido, e se tornado minha "sabedoria, e justiça, e santificação, e redenção" (1Co 1.30). Vi Jesus em todo o seu encanto e soube que ele era meu em todos os seus ofícios. E glória a ele, pois agora reina em meu coração sem rival. Não tenho nenhuma vontade a não ser a dele. Não sinto orgulho, nem afeto nenhum além do que dedico a ele. Sei que é pela fé que permaneço firme e que a vigilância em oração deve ser a guarda da fé. Estou feliz em Deus neste momento e acredito que estarei no futuro. Tenho lido frequentemente o capítulo que o senhor mencionou (1Co 13) e comparado meu coração e vida com ele. Ao fazê-lo, sinto minhas deficiências e a necessidade que tenho do sangue expiatório. Entretanto, não me atrevo a dizer que não sinto, até certo grau, o amor lá descrito, embora eu não seja tudo o que devo ser. Desejo me perder naquele "que excede todo entendimento" (Ef 3.19). Vejo que "o justo viverá pela fé" (Gl 3.11; Hc 2.4; Hb 10.38; Rm 1.17) e, a mim, "o menor de todos os santos, me foi dada esta graça" (Ef 3.8). Se eu fosse um arcanjo, deveria cobrir o rosto diante dele e deixar que o silêncio o louvasse!

A seguinte narração foi feita por alguém que foi testemunha ocular e auricular do que ela relata:

(1) No início de novembro, ela parecia ter um prenúncio do que lhe aconteceria, e cantava com frequência:

> Quando prevalecer a dor,
> Enche-me o peito de paciência.[42]

E quando me pediu para ir vê-la, porque estava doente, escreveu em seu bilhete: "Aceito a vontade de Jesus. Tudo o

---

[42] Do hino "Thou Lamb of God", tradução de John Wesley para "Stilles Lamm und Friedefürst", de Christian Friedrich Richter. (N. da T.)

que ele envia é adoçado com seu amor. Estou tão feliz quanto se ouvisse uma voz dizer:

Meus irmãos mais velhos me aguardam,
Despedem-se os anjos que guardam,
E Jesus me diz: vem!".[43]

(2) Quando lhe falei: "Não posso escolher por ti entre vida ou morte", ela disse: "Pedi a nosso Senhor, que, se fosse a vontade dele, eu morresse primeiro. E ele me falou que o senhor sobreviveria a mim e que fecharia meus olhos". Quando percebemos que era varíola, perguntei-lhe: "Minha cara, não te assustarás se te contarmos qual é a tua doença?", ao que ela respondeu: "Não posso me assustar diante da vontade dele".

(3) A doença a abateu profundamente, mas sua fé fortaleceu-se ainda mais. Na terça-feira, 16 de novembro, ela me disse: "Estava orando diante do trono de um jeito esplêndido; minha alma estava tão imersa em Deus!". Perguntei-lhe: "O Senhor te fez alguma promessa especial?". "Não", replicou ela; "tudo se resume a

Aquietar-se em sacro temor,
E o céu silencioso do amor."[44]

(4) Na quinta-feira, quando lhe perguntei: "O que tens a me dizer?", ela respondeu: "Nada que já não saiba: Deus é amor". Indaguei-lhe: "O Senhor te fez alguma promessa especial?". Ela replicou: "Creio que não desejo nenhuma; posso viver sem isso. Morrerei sendo um bloco disforme, mas, quando nos encontramos, serei toda gloriosa. Nesse meio-tempo, estarei em comunhão com seu espírito".

[43] Do hino "How Happy Is the Pilgrim's Lot", de John e Charles Wesley. (N. da T.)
[44] Do hino "Sinners, Obey the Gospel-Word!", de Charles Wesley. (N. da T.)

(5) O sr. M. perguntou-lhe qual ela considerava a melhor forma de seguir o caminho cristão e quais eram os principais obstáculos. Ela respondeu: "O maior obstáculo geralmente vem da índole natural. Sou de índole reservada, muito quieta, de sofrer muito e falar pouco. Alguns podem achar que ser de um jeito é melhor, outros, de outro. Mas o importante é viver na vontade de Deus. Nos últimos meses, quando estive especialmente devotada a isso, senti a orientação do seu Espírito, e a unção que recebi do Santíssimo me ensinou todas as coisas, de modo que não precisei que ninguém mais me ensinasse, porque essa unção me ensinou".

(6) Na manhã de sexta-feira, ela disse: "Creio que vou morrer". Então sentou-se na cama e falou: "Senhor, eu te bendigo, pois estás sempre comigo e tudo o que tens é meu. Teu amor é maior do que minha fraqueza, maior do que meu desamparo, maior do que minha indignidade. Senhor, tu dizes a uma pessoa corrompida como eu: 'És minha irmã' (Jó 17.14)! E glória a ti, ó Jesus, tu és meu Irmão. Deixa-me compreender, junto com todos os santos, o comprimento, a largura, a altura e a profundidade do teu amor (Ef 3.18)! Abençoa a estes (algumas pessoas que estavam presentes), faz que se preparem a cada momento em tudo o que seja do teu agrado".

(7) Algumas horas depois, parecia que a agonia da morte a assaltava, mas seu rosto estava tomado por sorrisos de triunfo, e ela batia palmas de alegria. A sra. C. falou: "Minha querida, és mais do que uma vencedora pelo sangue do Cordeiro". Ela respondeu: "Sim, ó sim, doce Jesus! Onde está, ó morte, o teu aguilhão (1Co 15.55)?". Então deitou-se, como se cochilasse, por algum tempo. Depois tentou falar, mas não conseguiu. Ainda assim, deu testemunho de seu amor, apertando as mãos de todos os que estavam no quarto.

(8.) Quando o sr. W.[45] chegou, ela disse: "Não sabia que viveria para vê-lo outra vez, meu senhor. Mas estou feliz que Deus me tenha dado esta oportunidade e também forças para lhe falar. Eu o amo. O senhor sempre pregou a doutrina mais rigorosa, e eu gostava de segui-la. Continue fazendo isso, sem se importar se alguém mais está satisfeito ou insatisfeito". Ele perguntou: "Acredita agora que está a salvo do pecado?". Ela replicou: "Sim; já faz vários meses que não tenho dúvida disso. Se antes duvidei, foi porque não permanecia na fé. Agora sinto que tenho guardado a fé; e o amor perfeito lançou fora todo o medo. Quanto ao senhor, Deus me revelou que as suas obras futuras excederão as primeiras, embora eu não vá viver para vê-lo. Tenho sido uma grande entusiasta, como se costuma dizer atualmente, nestes últimos seis meses; mas nunca vivi tão perto do coração de Cristo na vida. Empenhe-se, senhor, em confortar o coração de centenas seguindo aquela simplicidade que a sua alma ama".

(9) Para alguém que havia recebido o amor a Deus devido a suas orações, ela disse: "Sinto que não segui uma fábula engenhosamente inventada (2Pe 1.16), pois sou tão feliz quanto possível. Vá em frente e não pare antes de chegar ao alvo (Fp 3.14)". Para a srta. M. ela aconselhou: "Ame a Cristo; ele a ama. Creio que a verei à mão direita de Deus. Porém até entre estrela e estrela há diferenças de esplendor. Pois assim também é a ressurreição dos mortos (1Co 15.41). Encarrego-a, na presença de Deus, de me encontrar naquele dia, resplandecente em glória. Evite toda a conformidade com o mundo. Será privada de muitos dos seus privilégios. Sei que serei achada irrepreensível. Esforce-se para ser achada por ele em paz, sem mácula (2Pe 3.14)".

---

[45] Referência ao próprio John Wesley. Em seu diário, John Wesley menciona a visita a Jane Cooper no dia 19 de novembro de 1762. (N. da T.)

(10) Na manhã de sábado, ela orou mais ou menos nos seguintes termos: "Sei, meu Senhor, que minha vida é prolongada apenas para cumprir a tua vontade. E ainda que não consiga mais comer nem beber (ela não comia nada havia 28 horas), faça-se a tua vontade. Estou disposta a permanecer assim durante um ano inteiro: 'Não só de pão viverá o homem' (Mt 4.4; Lc 4.4). Louvo-te porque não há sombra de queixa em nossa comunidade. Nesse sentido, não sabemos o que a doença significa. De fato, Senhor, 'nem a morte, nem a vida [...], nem as coisas do presente, nem do porvir [...], nem qualquer outra criatura poderá separar-nos do amor de Deus, que está em Cristo Jesus' (Rm 8.38-39) por um momento sequer. Abençoa a estes para que não haja carência em sua alma. Acredito que não haverá. Oro com fé".

Passou o domingo e a segunda-feira em estado delirante, mas às vezes recuperava a consciência. Nesses momentos, era evidente que seu coração ainda estava no paraíso. Alguém lhe disse: "Jesus é nosso alvo". Ela replicou: "Tenho apenas um alvo; sou toda espiritual". A srta. M. lhe disse: "Habitas em Deus". Ela respondeu: "Totalmente". Uma pessoa lhe perguntou: "Tu me amas?". Ela disse: "Oh, eu amo Cristo; amo meu Cristo". A outra pessoa, ela falou: "Não estarei mais aqui; Jesus é precioso, muito precioso realmente". Falou mais uma vez com a srta. M.: "O Senhor é muito bom; ele guarda minha alma acima de tudo". Durante quinze horas antes de morrer, teve fortes convulsões. Seu sofrimento era extremo. Alguém lhe disse: "Tu te aperfeiçoas por meio dos sofrimentos (Hb 2.10)". Ela replicou: "Cada vez mais". Depois de permanecer deitada em silêncio por algum tempo, falou: "Senhor, tu és forte!". Então, depois de uma pausa consideravelmente longa, proferiu suas últimas palavras: "Meu Jesus é tudo em todos para mim. Glória a ele, por toda a eternidade". Depois disso, ficou imóvel por cerca de meia hora, e então expirou sem um suspiro ou gemido.

25 No ano seguinte, como o número daqueles que acreditavam que estavam a salvo do pecado continuava aumentando, julguei necessário publicar, principalmente em benefício deles, o tratado "Farther Thoughts on Christian Perfection" [Outros pensamentos sobre a perfeição cristã]:

PERGUNTA 1: Como é que "o fim da lei é Cristo, para justiça de todo aquele que crê" (Rm 10.4)?

RESPOSTA: A fim de entender essa questão, é preciso saber de que lei se está falando aqui. Segundo entendo, o apóstolo se refere a dois conjuntos de leis: (1) A Lei de Moisés, que engloba toda a dispensação mosaica, a que São Paulo seguidamente se refere como sendo uma, ainda que contendo três partes, a política, a moral e a cerimonial. (2) A lei adâmica, dada a Adão no estado de inocência, propriamente chamada de "lei das obras". Esta, em essência, é a mesma que a lei angélica, sendo comum a anjos e humanos. Exigia que o ser humano usasse, para a glória de Deus, todas as faculdades com que foi criado. Ora, ele foi criado livre de qualquer defeito, quer de entendimento, quer de sentimentos. Seu corpo não era, então, um obstáculo à mente; não o impedia de compreender todas as coisas claramente, de ter um juízo verdadeiro a seu respeito e de raciocinar de modo correto, se é que raciocinava. Digo "se *é que* raciocinava" porque possivelmente não o fazia. Talvez não tivesse necessidade de raciocinar, até que o corpo corruptível lhe houvesse subjugado a mente e danificado as faculdades inatas. Talvez, até esse momento, a mente visse toda a verdade que lhe fosse apresentada tão diretamente quanto o olho agora vê a luz.

Em consequência, essa lei, adequada a suas faculdades originais, exigia que ele pensasse sempre, falasse sempre e agisse sempre de modo precisamente correto, em todas as questões. Ele era capaz de fazer isso; portanto, Deus exigia que prestasse os serviços para os quais estava capacitado.

Entretanto, Adão caiu; seu corpo incorruptível tornou-se corruptível e, desde então, é um estorvo para a alma, atrapalhando seu funcionamento. Em decorrência disso, agora nenhum mortal consegue compreender claramente ou julgar acertadamente. E quando o juízo ou a compreensão falham, é impossível raciocinar corretamente. Assim, é tão natural para o ser humano errar quanto respirar, sendo impossível viver sem um tanto quanto sem o outro. Em consequência, nenhum ser humano consegue cumprir as exigências contidas na lei adâmica.

E nenhum ser humano é obrigado a cumpri-las; Deus não exige isso de ninguém. Pois Cristo é o fim da lei adâmica, assim como da lei mosaica. Com a sua morte, ele pôs fim a ambas; aboliu as duas, em relação ao ser humano, e a obrigação de cumprir uma ou outra desapareceu por completo. Da mesma forma, não se espera de nenhum ser humano vivo que cumpra a lei adâmica mais do que a lei mosaica.[46]

Em lugar dessas leis, Cristo estabeleceu outra; a saber, a "lei da fé" (Rm 3.27). Não todos os que fazem obras, mas todos os que creem, passam a receber a justiça, no pleno sentido da palavra; ou seja, são justificados, santificados e glorificados.

P. 2: Estamos, então, mortos para a lei?

R: Estamos mortos "relativamente à lei, por meio do corpo de Cristo" (Rm 7.4) dado por nós; para a lei adâmica, assim como para a lei mosaica. Estamos totalmente livres a partir do momento de sua morte, tendo essa lei expirado com ele.

P. 3: Como, então, se diz que não estamos "sem lei para com Deus, mas debaixo da lei de Cristo" (1Co 9.21)?

R: Estamos sem aquela lei; mas isso não quer dizer que estamos sem qualquer lei. É que Deus estabeleceu outra lei

---

[46] Isto é, não é uma condição, quer presente, quer futura, para a salvação. (N. do A.)

em seu lugar, a lei da fé. E todos estamos sob essa lei em relação a Deus e a Cristo; tanto nosso Criador quanto nosso Redentor exigem que a observemos.

P. 4: O amor é o cumprimento dessa lei?

R: Sem dúvida. Toda a lei sob a qual estamos agora é cumprida no amor (Rm 13.9-10). A fé que opera ou é impulsionada pelo amor é tudo o que Deus exige agora do ser humano. Ele substituiu a perfeição angélica pelo amor (não pela sinceridade).

P. 5: Por que "o intuito da admoestação visa ao amor" (1Tm 1.5)?

R: É a finalidade de todo mandamento de Deus. É a meta visada por toda e qualquer parte da instituição cristã. O fundamento é a fé, purificando o coração; a finalidade é o amor, preservando a boa consciência.

P. 6: Que amor é esse?

R: Amar o Senhor, nosso Deus, de todo o coração, mente, alma e forças; e amar o próximo, todas as pessoas, como nós mesmos, como nossa própria alma.

P. 7: Quais são os frutos ou propriedades desse amor?

R: São Paulo nos informa, de modo geral, que "o amor é paciente" (1Co 13.4). Suporta todas as fraquezas dos filhos de Deus, todas as maldades dos filhos do mundo, e não só por um curto tempo, mas enquanto aprouver a Deus. Vê a mão de Deus em tudo e se submete de bom grado a ela. Ao mesmo tempo, "é benigno" (1Co 13.4); em tudo e apesar de tudo o que suporta, é suave, brando, terno, afável. "O amor não arde em ciúmes" (1Co 13.4); exclui do coração todo tipo e grau de ciúme. O amor não é imprudente, não age de maneira violenta, voluntariosa, nem julga de modo precipitado ou severo. "Não se conduz inconvenientemente" (1Co 13.5); não é rude, não age em contradição consigo mesmo; "não procura os seus interesses" (1Co 13.5), nem tranquilidade, prazer, honra ou lucro; "não se exaspera" (1Co 13.5); expulsa toda ira do coração; "não se ressente do mal" (1Co 13.5); lança fora todo ciúme, suspeita e inclinação a acreditar no mal; "não se alegra com a injustiça" (1Co 13.6); sim, chora diante do pecado ou tolice de seus piores inimigos; "regozija-se com a verdade" (1Co 13.6), na santidade e felicidade de todos os seres humanos. O amor "tudo sofre" (1Co 13.7), não fala mal de ninguém; "tudo crê" (1Co 13.7), tudo o que seja benéfico a outra pessoa. "Tudo espera" (1Co 13.7), qualquer coisa que possa atenuar as faltas que não podem ser negadas; e "tudo suporta" (1Co 13.7), tudo o que Deus permite ou que as pessoas e os demônios provocam. Essa é "a lei de Cristo, a lei perfeita, a lei da liberdade" (Gl 6.2; Tg 1.25).

E essa distinção entre a "lei da fé" (ou amor) e a "lei das obras" não é sutil nem desnecessária. É clara, simples e inteligível a qualquer pessoa de bom senso. E é absolutamente necessária, para impedir milhares de dúvidas e temores, mesmo naqueles que andam no amor.

P. 8: Mas não "tropeçamos em muitas coisas" (Tg 3.2), ou seja, mesmo os melhores entre nós não violam essa mesma lei?

R: Em certo sentido, não, enquanto nossas inclinações, pensamentos, palavras e obras brotem do amor. Mas em outro sentido, sim, e continuaremos a fazê-lo, em maior ou menor escala, enquanto permanecermos no corpo. Pois nem o amor, nem a "unção que vem do Santo" (1Jo 2.20) nos torna infalíveis. Assim, por um defeito inevitável do entendimento, forçosamente cometemos muitos erros. E esses erros com frequência ocasionarão males, tanto em nosso temperamento quanto em palavras e ações. Equivocando-nos quanto ao caráter de uma pessoa, podemos amá-la menos do que ela realmente merece. E pelo mesmo erro somos inevitavelmente levados a falar ou agir, em relação a essa pessoa, de uma maneira contrária a essa lei, em alguma das formas que descrevemos acima.

P. 9: Em um caso desses, não precisamos de Cristo?

R: A pessoa mais santa ainda precisa de Cristo, como Profeta, como "a luz do mundo" (Jo 8.12; 9.5). Pois ele só lhe fornece luz de momento a momento. No instante em que se retira, tudo é trevas. Ainda precisa de Cristo como Rei; pois Deus não lhe dá uma provisão de santidade. A não ser que receba um suprimento a cada instante, só restará a maldade. Ainda precisa de Cristo como Sacerdote, para fazer a expiação, pois mesmo a perfeita santidade só é aceitável a Deus por meio de Jesus Cristo.

P. 10: As pessoas mais santas não poderiam, então, adotar a confissão do mártir moribundo, que diz: "Em mim mesmo nada sou exceto pecado, trevas, inferno; mas tu és minha luz, minha santidade, meu paraíso"?

R: Não exatamente. Mas as pessoas mais santas podem dizer: "Tu és minha luz, minha santidade, meu paraíso. Por meio da união contigo, estou cheio de luz, de santidade e felicidade. Mas, deixado a sós, eu nada seria exceto pecado, trevas, inferno".

Explicando melhor: as pessoas mais santas precisam de Cristo como Sacerdote, Expiação, Advogado diante do Pai; não apenas porque a continuação das bênçãos depende da morte e intercessão dele, mas devido ao não cumprimento da lei do amor. Pois nenhuma pessoa vivente consegue cumprir essa lei. Quem sente que tudo é amor, compare-se com a descrição anterior. Pese-se nessa balança e veja se não está em falta em muitos aspectos.

P. 11: Se tudo isso é compatível com a perfeição cristã, essa perfeição não é liberdade de todos os pecados, já que "todo aquele que pratica o pecado também transgride a lei" (1Jo 3.4), e a pessoa perfeita transgride a própria lei a que deveria obedecer. Além disso, o perfeito necessita da expiação de Cristo, que não expia outra coisa que não o pecado. Será, então, que a expressão "perfeição sem pecado" é adequada?

R: Não vale a pena discutirmos sobre isso. Mas observai em que sentido as pessoas em questão necessitam da expiação de Cristo. Não precisam que ele as reconcilie novamente com Deus, pois já estão reconciliadas. Não precisam dele para restaurar o favor de Deus, mas apenas para que este continue sendo dado. Cristo não obtém o perdão novamente para elas, mas vive "sempre para interceder" por elas (Hb 7.25) e, "com uma única oferta, aperfeiçoou para sempre quantos estão sendo santificados" (Hb 10.14).

Deixando de considerar essa questão como deveriam, alguns negam a necessidade da expiação de Cristo. Na verdade, são muito poucos; não me lembro de ter encontrado mais do que cinco na Inglaterra. Entre as duas opções, eu preferiria desistir da perfeição; mas não é preciso escolher entre uma ou outra. A perfeição como concebo: "Regozijai-vos sempre, orai sem cessar, em tudo, dai graças" (1Ts 5.16-18), é bastante compatível com isso; se alguém concebe uma perfeição que não é, deve se preocupar com essa questão.

P. 12: Então a perfeição cristã significa algo mais do que a sinceridade?

R: Não se, com essa palavra, faz-se referência ao amor que preenche o coração, expulsando o orgulho, ira, desejo, obstinação; a regozijar-se sempre, orar sem cessar e em tudo dar graças. Mas duvido, já que poucos usam sinceridade nesse sentido. Portanto, prefiro a palavra antiga.

Uma pessoa pode ser sincera mantendo seu temperamento, orgulho, ira, cobiça, obstinação naturais. Mas não é perfeita até que o coração seja purificado de tudo isso e de outras corrupções.

Para esclarecer esse ponto ainda mais: sei que muitos amam a Deus de todo o coração. Ele é seu único desejo, seu único prazer e eles estão sempre felizes nele. Amam o próximo como a si mesmos. Sentem um desejo tão sincero, ardente, constante pela felicidade de todas as pessoas, boas ou más, amigas ou inimigas, quanto pela sua própria. Regozijam-se sempre, oram sem cessar e em tudo dão graças. Sua alma está sempre se elevando a Deus, em santa alegria, oração e louvor. Isso é fato, e uma experiência clara, sólida, bíblica.

Porém, mesmo essas almas habitam em um corpo danificado e são tão oprimidas por ele que não conseguem sempre se esforçar como gostariam, pensando, falando e agindo de modo absolutamente correto. Pela falta de melhores órgãos corporais, às vezes precisam pensar, falar ou agir de modo errado; não, realmente, por uma deficiência de amor, mas de conhecimento. Ao mesmo tempo, não obstante essa deficiência e suas consequências, elas cumprem a lei de amor.

Entretanto, mesmo nesse caso, não existe uma plena conformidade para com a lei perfeita, por isso os mais perfeitos, exatamente por essa razão, necessitam do sangue expiatório e podem dizer, tanto de si mesmos quanto de seus irmãos: "Perdoa-nos as nossas dívidas" (Mt 6.12; Lc 11.4).

P. 13: Se Cristo pôs fim a essa lei, que necessidade há de qualquer expiação para os que a transgridem?

R: Observai em que sentido ele pôs fim à lei e a dificuldade desaparecerá. Se não fosse o mérito permanente de sua morte e contínua intercessão por nós, aquela lei ainda nos condenaria. Portanto, ainda precisamos da expiação para toda transgressão da lei.

P. 14: Pode alguém que esteja salvo do pecado ser tentado?

R: Sim, pois Cristo foi tentado.

P. 15: No entanto, o que o senhor chama de tentação, eu chamo de corrupção do meu coração. Como distinguir um do outro?

R: Em alguns casos é impossível distinguir sem o testemunho direto do espírito. Mas, em geral, pode-se distinguir assim:

Alguém me elogia. Trata-se de uma tentação ao orgulho. Mas de imediato minha alma se sente humilde diante de

Deus. E não sinto orgulho; tenho tanta certeza disso quanto de que orgulho não é humildade.

Um homem me golpeia. Trata-se de uma tentação à ira. Mas meu coração transborda de amor. E não sinto ira; tenho tanta certeza disso quanto de que amor e ira não são a mesma coisa.

Uma mulher flerta comigo. Trata-se de uma tentação ao desejo sensual. Mas me afasto de imediato. E não sinto desejo ou luxúria; tenho tanta certeza disso quanto de que minha mão está quente ou fria.

Assim acontece se sou tentado por um objeto presente, ou quando o objeto está ausente e o diabo me traz um elogio, um golpe ou uma mulher à mente. No mesmo instante a alma repele a tentação e permanece repleta de puro amor.

A diferença é ainda mais clara quando comparo meu estado presente com o passado, em que sentia a tentação e a corrupção também.

P. 16: Como se sabe que se foi santificado, salvo da corrupção inata?

R: Da mesma forma como sei se fui justificado. "Nisto conhecemos que permanecemos nele", quer tenhamos sido santificados, quer justificados, "pelo Espírito que ele nos deu" (1Jo 4.13).

Sabemos pelo testemunho e pelos frutos do Espírito. Primeiro, pelo testemunho. Como quando fomos justificados, o Espírito deu testemunho ao nosso espírito de que nossos pecados foram perdoados; assim também, quando fomos santificados, ele deu testemunho de que os pecados foram removidos. De fato, o testemunho de santificação não é sempre claro no início (assim como não o é o de justificação); além disso, nem sempre permanece igual depois. Como o de justificação, às vezes é mais forte, outras vezes mais fraco. Não só isso: às vezes é extinto. Contudo o testemunho do espírito sobre a santificação geralmente é tão claro e sólido quanto aquele sobre a justificação.

P. 17: Que necessidade há disso, considerando que a santificação é uma transformação real e não apenas relativa, como a justificação?

R: Será que o novo nascimento é uma transformação meramente relativa? Não será uma transformação real? Se for assim, se não precisamos de testemunho de nossa santificação porque é uma transformação real, pela mesma razão não deveríamos precisar de testemunho de que nascemos de Deus ou de que somos filhos de Deus.

P. 18: Mas a santificação não brilha com luz própria?

R: E o novo nascimento também não brilha? Às vezes, sim; tanto quanto a santificação; outras vezes, não. Na hora da tentação, Satanás encobre a obra de Deus e introduz várias dúvidas e argumentos, principalmente naqueles que são de entendimento muito fraco ou muito forte. Nesses momentos, existe a necessidade absoluta daquele testemunho, sem o qual a obra de santificação não só poderia não ser percebida, como também poderia não ser conservada. Não fosse por isso, a alma não poderia permanecer no amor a Deus; muito menos regozijar-se sempre e em tudo dar graças. Nessas circunstâncias, portanto, um testemunho direto de que fomos santificados é altamente necessário.

Talvez alguém objete: "Mas eu não tenho nenhum testemunho de que fui salvo do pecado. Todavia, não tenho dúvidas disso". Muito bem: desde que não tenhas dúvida, isso é o bastante; quando tiveres, precisarás daquele testemunho.

P. 19: Que passagem bíblica menciona algo desse tipo ou nos dá alguma razão para esperá-lo?

R: Esta passagem: "Ora, nós não temos recebido o espírito do mundo, e sim o Espírito que vem de Deus, para que conheçamos o que por Deus nos foi dado gratuitamente" (1Co 2.12).

Com certeza a santificação é algo "que por Deus nos foi dado gratuitamente". E não há nenhuma razão possível para se excluí-la do que diz o apóstolo; recebemos o Espírito exatamente com esse fim, para que saibamos o que "nos foi dado gratuitamente".

A mesma questão não está implícita naquela passagem bem conhecida: "O próprio Espírito testifica com o nosso espírito que somos filhos de Deus" (Rm 8.16)? Será que ele dá testemunho disso apenas para os que são filhos de Deus em grau menos elevado? Não, mas também aos que o são no grau mais elevado. E o Espírito não testifica que eles estão em um grau mais elevado? Que motivos teríamos para duvidar disso?

E se alguém afirmasse (como, de fato, muitos o fazem) que esse testemunho acontece apenas para a classe mais elevada de cristãos? Acaso não lhe responderias que "o apóstolo não faz restrições; portanto, sem dúvida acontece para todos os filhos de Deus"? E a mesma resposta não seria válida se alguém afirmasse que isso acontece apenas com a classe menos elevada?

Considera também o que diz João: "Sabemos que somos de Deus" (1Jo 5.19). Como? "Pelo Espírito que nos deu" (1Jo 3.24). Mais ainda: "Nisto conhecemos que permanecemos nele" (1Jo 4.13). E que base temos, nas Escrituras ou na razão, para dizer que o apóstolo não quis se referir aqui ao testemunho e ao fruto do Espírito? Assim também "sabemos que somos de Deus", e em que sentido o somos; quer sejamos bebês, jovens ou pais (1Jo 2.12), sabemos da mesma forma.

Não estou afirmando que todos os jovens, ou mesmo pais, tenham esse testemunho em todos os momentos. Pode haver interrupções no testemunho direto de que são nascidos de Deus; mas essas interrupções são cada vez menos frequentes e mais breves quanto mais crescem em Cristo. Além disso, alguns recebem o testemunho tanto de sua justificação quanto da santificação, sem qualquer interrupção; presumo que isso poderia ocorrer com muitos outros, se andassem humildemente e seguissem a Deus de perto.

P. 20: Alguns deles não podem ter testemunho do Espírito de que não se separarão de Deus ao final?

R: Podem. E essa convicção, de que nem a vida, nem a morte os irão separar dele, longe de ser prejudicial, pode, em algumas circunstâncias, ser extremamente útil. Não devemos, portanto, discriminar essas pessoas de modo algum, mas encorajá-las com firmeza a "guardar firme, até ao fim, a confiança que, desde o princípio, tiveram" (Hb 3.14).

P. 21: Existe alguém que tenha testemunho do Espírito de que jamais pecará?

R: Não sabemos que promessas Deus faz a determinadas pessoas, mas não encontramos nenhum estado geral descrito nas Escrituras que tornasse impossível a uma pessoa voltar a pecar. Se existisse um estado em que isso fosse impossível, seria aquele dos que foram santificados, que são "pais em Cristo", que se regozijam sempre, oram sem cessar e em tudo dão graças (1Ts 5.16-18), mas não é impossível que recaiam no pecado. Aqueles que são santificados ainda podem cair e perecer (Hb 10.26-29). Até mesmo "pais em Cristo" precisam daquele aviso: "Não ameis o mundo" (1Jo 2.15). Aqueles que se "regozijam, oram" e "em tudo dão graças" podem, não obstante, "apagar o Espírito" (1Ts 5.16-19). Ainda mais: até mesmo aqueles que foram "selados para o dia da redenção" ainda podem "entristecer o Espírito de Deus" (Ef 4.30).

Portanto, ainda que Deus possa dar tal testemunho a determinadas pessoas, não é algo que deva ser esperado pelos cristãos em geral, já que não há referências bíblicas nas quais basear tal expectativa.

P. 22: Por qual "fruto do Espírito" (Gl 5.22) podemos saber "que somos de Deus" (1Jo 5.19), mesmo no sentido mais elevado?

R: Pelo amor, alegria, paz permanentes; pela longanimidade, paciência e resignação imutáveis; pela benignidade que triunfa sobre todas as provocações; pela bondade, brandura, doçura, ternura de espírito; pela fidelidade, simplicidade, sinceridade reverente; pela mansidão, calma, serenidade de espírito; pela temperança, não apenas na alimentação e no sono, mas em tudo o que é natural e espiritual.

P. 23: Por que isso é tão importante? Não recebemos tudo isso quando somos justificados?

R: O quê? Resignação total à vontade de Deus, sem qualquer mistura de vontade própria? Benignidade, sem qualquer toque de ira, mesmo no instante em que somos provocados? Amor a Deus, sem o menor amor à criatura, exceto em Deus e por Deus, excluindo todo orgulho? Amor ao próximo, excluindo toda inveja, todo ciúme e julgamento precipitado? Mansidão, mantendo toda a alma inviolavelmente calma? E temperança em tudo? Nega que alguém já tenha atingido esse estágio, se quiseres, mas não digas que todos os que foram justificados o atingem.

P. 24: Alguns que acabaram de ser justificados atingem esse estágio. O que teria a dizer a eles?

R: Se realmente atingiram, direi que foram santificados; estão a salvo do pecado naquele momento e que não precisam perder, nunca mais, o que Deus lhes deu, nem experimentar o pecado novamente.

Sem dúvida, porém, esse é um caso excepcional. É diferente para a maioria dos que foram justificados, que sentem em si mesmos, com intensidade maior ou menor, orgulho, ira, obstinação e uma tendência à queda. Até que tenham feito morrer essas inclinações gradualmente (Cl 3.5; Rm 8.13), não estarão plenamente renovados no amor.

P. 25: Não é esse o caso de todos os que são justificados? Eles não morrem gradualmente para o pecado e crescem na graça até que, na morte, ou talvez um pouco antes dela, Deus os aperfeiçoa no amor?

R: Creio que esse seja o caso da maioria, mas não de todos. Deus geralmente concede um tempo considerável para as pessoas receberem a luz, crescerem na graça, cumprirem sua vontade e submeterem-se a ela antes de serem justificadas ou santificadas. Mas ele nem sempre segue esse processo; às vezes abrevia a obra, realizando o trabalho de muitos anos em poucas semanas, talvez em uma semana, um dia, uma hora. Ele justifica ou santifica tanto os que não fizeram nem sofreram nada quanto os que não tiveram tempo para um crescimento gradual na luz ou na graça. "Porventura, não lhe é lícito fazer o que quer do que é seu? Ou são maus os teus olhos porque ele é bom?" (Mt 20.15).

Não é necessário, portanto, afirmar repetidas vezes e provar por quarenta textos das Escrituras que a maioria das pessoas é, finalmente, aperfeiçoada no amor, que existe uma obra gradual de Deus na alma, ou que, falando de modo geral, leva bastante tempo, até muitos anos, antes que o pecado seja destruído. Tudo isso nós sabemos, mas também sabemos que Deus pode, com a boa vontade da pessoa, abreviar sua obra em qualquer grau que deseje e completar o que geralmente levaria muitos anos em um instante. Ele faz isso em muitos casos e, todavia, existe uma obra gradual, tanto antes quanto depois desse instante. De modo que alguém pode afirmar que a obra é gradual, enquanto outro diz que é instantânea, sem qualquer tipo de contradição.

P. 26: São Paulo quis dizer algo mais com a expressão "selados pelo Espírito" além de ser "renovado no amor"?

R: Talvez em uma das passagens (2Co 1.22) ele não queira dizer tanto, mas em outra (Ef 1.13) ele parece incluir tanto o fruto quanto o testemunho, e em um grau mais elevado do que experimentamos até mesmo quando somos "renovados no amor" pela primeira vez. Deus nos selou "com o Santo Espírito da promessa" (Ef 1.13), dando-nos "a plena certeza da esperança" (Hb 6.11), ou seja, a confiança de receber todas as promessas de Deus, sem possibilidade de dúvida, porque o Espírito Santo, com a santidade universal, imprimiu a imagem completa de Deus em nosso coração.

P. 27: Como aqueles que foram selados dessa forma podem "entristecer o Espírito de Deus" (Ef 4.30)?

R: São Paulo explica isso claramente: (1) Por meio de conversas não proveitosas, que não são boas para a edificação e são impróprias para transmitir graça aos ouvintes. (2) Recaindo em amargura ou falta de gentileza. (3) Pela cólera, por uma insatisfação duradoura ou falta de sensibilidade. (4) Pela ira, independentemente de quão rápido passe; por não perdoar imediatamente um ao outro. (5) Por gritar ou vociferar, falar alto, áspera e rudemente. (6) Por maledicência, boatos, calúnia, menção desnecessária de faltas de uma pessoa ausente, mesmo que de maneira gentil (Ef 4.29-31).

P. 28: O que o senhor acha daqueles em Londres que parecem ter sido "renovados no amor" recentemente?

R: Há algo bastante peculiar na experiência da maior parte deles. Seria de se esperar que um crente fosse primeiro preenchido com amor e com isso esvaziado do pecado; ao passo que esses crentes foram primeiro esvaziados do pecado e então preenchidos com amor. Talvez Deus tenha escolhido agir dessa maneira a fim de tornar sua obra mais clara e inegável, e distingui-la mais nitidamente daquele amor transbordante que muitas vezes é sentido até mesmo no estado de justificação.

Parece também estar mais de acordo com a grande promessa: "de todas as vossas imundícias e de todos os vossos ídolos vos purificarei. Dar-vos-ei coração novo e porei dentro de vós espírito novo" (Ez 36.25-26).

Não acredito, contudo, que sejam todos iguais: há uma grande diferença entre uns deles e outros. Creio que a maioria daqueles com quem falei estão imbuídos de muita fé, amor, alegria e paz. Alguns deles eu creio que foram renovados no amor e tenho testemunho direto disso; além disso, manifestam os frutos acima descritos em todas as suas palavras e ações. Ora, chame-se a isso como se queira; eu chamo de perfeição.

Porém alguns que estão imbuídos de muito amor, paz e alegria não receberam o testemunho direto; e outros que acham que estão, não obstante, mostram-se manifestamente carentes de frutos. Não sei dizer quantos; talvez um em dez, talvez mais, talvez menos. O fato é que a alguns falta, inegavelmente, a paciência, a resignação cristã. Não veem a mão de Deus em tudo o que ocorre, para aceitar com alegria. Não dão graças em tudo, nem se regozijam sempre. Não são felizes; pelo menos nem sempre, pois às vezes se queixam, dizendo que isso ou aquilo é difícil!

A alguns falta benignidade. Resistem ao perverso, em vez de lhe voltar a outra face (Mt 5.39). Não recebem críticas com gentileza, nem mesmo reprovações. Mais do que isso: não são capazes de aceitar quem lhes contradiga, sem, pelo menos, parecerem ressentidos. Quando são criticados ou contrariados, mesmo que levemente, não reagem bem; mostram-se mais distantes e reservados do que antes. Quando são reprovados ou contrariados com aspereza, respondem com aspereza, em voz alta ou em tom zangado, ou de maneira agressiva e grosseira. Falam em tom agressivo ou rude quando repreendem os outros e se comportam rudemente com seus inferiores.

A alguns falta bondade. Não são gentis, brandos, doces, amigáveis, delicados e amorosos o tempo todo, em seu espírito, em suas palavras, em sua expressão e aparência, enfim, no comportamento, de modo geral. E comportam-se assim com todos, superiores e inferiores, ricos e pobres, sem distinção, mas principalmente com os que não são cristãos, os adversários e os que pertencem à própria família. Não desejam tornar felizes aqueles a seu redor, não se preocupam nem se esforçam de forma alguma para isso. Veem pessoas inquietas e não se importam; talvez eles mesmos sejam a causa dessa inquietação. No entanto, limpam a boca e dizem: "Ora, eles merecem. A culpa é toda deles mesmos".

A alguns falta fidelidade, respeito à verdade, simplicidade e sinceridade piedosa. Seu amor raramente é sem dissimulação, e há malícia em seus lábios. Para evitar a aspereza, inclinam-se ao outro extremo. São excessivamente gentis, ao ponto da bajulação ou de parecerem querer dizer algo diferente do que estão realmente dizendo.

A alguns falta mansidão, tranquilidade de espírito, serenidade, temperamento equilibrado. São inconstantes, com altos e baixos; a mente deles não é bem equilibrada. Os afetos não são bem-proporcionados; há excesso de alguns e carência de outros, ou não são adequadamente misturados e combinados, de modo a se contrabalançarem. Por conseguinte, frequentemente há um choque. Sua alma está desafinada e não consegue produzir a verdadeira harmonia.

A alguns falta temperança. Não ingerem, de modo constante, o tipo e quantidade de comida que sabem, ou deveriam saber, que seria mais propício ao fortalecimento da saúde e do vigor do corpo. Não são moderados no sono; não seguem rigorosamente aquilo que é melhor tanto para o corpo quanto para a mente, caso contrário iriam para a cama cedo e se levantariam cedo, a uma hora fixa. Jantam tarde, o que não é bom para o corpo nem para a alma. Não costumam jejuar nem se abster. Preferem (o que é a razão para muitos tipos de intemperança) aquele tipo de pregação, leitura ou conversa que lhes dá uma alegria e conforto temporários, em lugar daquela que provoca o sofrimento devoto, ou que forneça instrução sobre a justiça. Tal alegria não é santificada; não tende à crucificação do coração nem conduz a ela. Tal fé não é centrada em Deus, mas em si mesma.

Até aqui, tudo está claro. Creio que tendes fé, amor, alegria e paz. No entanto, vós que estais no centro desses acontecimentos, sabeis, em vosso íntimo, que sois deficientes nos aspectos acima mencionados. Falta-vos longanimidade, benignidade ou bondade; fidelidade, mansidão ou temperança. Não discutiremos, então, em torno de palavras. No que é importante está claro que concordamos.

Não tendes o que chamo de perfeição; se outros acham que tendes, isso é com eles. Todavia, agarrai-vos com firmeza ao que possuis e orai com empenho pelo que não possuis.

P. 29: Aqueles que são perfeitos podem crescer na graça?

R: Sem dúvida que podem. E isso não apenas enquanto estão no corpo, mas por toda a eternidade.

P. 30: Eles podem perder esse estado?

R: Tenho convicção de que sim; os fatos não admitem discussão. Antes pensávamos que alguém salvo do pecado não poderia cair; agora vimos que não é assim. Estamos cercados de exemplos de pessoas que experimentaram recentemente tudo o que entendo como perfeição. Tiveram tanto o fruto do Espírito quanto o testemunho; mas perderam a ambos. Não há nada na natureza da perfeição que impeça alguém de cair. Não existe um nível tão elevado ou tão poderoso de santidade do qual seja impossível decair. Se existir alguém que não possa cair, isso se deve inteiramente a alguma promessa de Deus.

P. 31: Aqueles que decaíram desse estado podem recuperá-lo?

R: Por que não? Conhecemos alguns exemplos disso também. Não só isso: é algo extremamente comum perder-se esse estado mais de uma vez, antes de se estabelecer nele.

É, portanto, para prevenir os que foram salvos do pecado contra toda ocasião de tropeço que darei os conselhos que se seguirão. Antes disso, contudo, devo falar claramente sobre esses acontecimentos recentes.

Acredito que esta última obra seja de Deus; provavelmente a maior na face da terra atualmente. Entretanto, como todas as outras, ela também está mesclada a muitas fraquezas humanas. Porém essas fraquezas são bem menos do que se poderia esperar, e deveriam ter sido alegremente toleradas por todos os que amavam e buscavam a justiça. Que tenha havido algumas pessoas fracas, de imaginação excitável, não tira o mérito da obra em si, nem é argumento para acusar diversas pessoas sóbrias, que são modelos de estrita santidade. Ainda assim (ao contrário do que deveria ocorrer), a oposição é grande; a ajuda, pouca. Diante disso, muitos são impedidos de buscar a fé e a santidade pelo falso zelo de outros, e alguns que começaram bem a corrida (Gl 5.7) foram desviados da pista.

P. 32: Qual é o primeiro conselho[47] que o senhor lhes daria?

R: Vigiai e orai continuamente contra o orgulho. Se Deus o removeu, cuidai para que não volte. É tão perigoso quanto a luxúria. Pode-se recair nele sem que se perceba, principalmente quando se acha que ele não constitui um perigo. Talvez se diga: "Não há problema, porque atribuo tudo quanto tenho a Deus". É possível que se faça isso e,

---

[47] Os conselhos que se seguem foram publicados em outro texto no ano de 1762, sob o título "Avisos e instruções dadas aos maiores professores das Sociedades Metodistas", com o seguinte lema: "Deixai os falsos testemunhos de lado, mas agarrai a verdade sempre com firmeza". Visava, evidentemente, a proteger as pessoas contra as extravagâncias perversas de George Bell e seus amigos, um caso específico que foi relatado no *Diário* do sr. Wesley desse período. (N. do E.)

não obstante, se tenha orgulho. Pois o orgulho não é apenas atribuir alguma coisa que temos a nós mesmos, mas pensar que temos algo que, na verdade, não temos. O sr. L., por exemplo, atribuía toda a luz que possuía a Deus, e até esse ponto era humilde; mas então achou que possuía mais luz do que qualquer outra pessoa vivente, e isso era, evidentemente, orgulho. Assim, é possível atribuir-se todo o conhecimento que se possui a Deus e, nesse aspecto, ser humilde. Mas se achas que possuis mais do que realmente possuis, ou se achas que recebeste tanta instrução de Deus que não precisas mais de instrução de qualquer outra pessoa, o orgulho está à porta. Sim, é preciso que recebas lições não apenas do sr. Morgan, de alguma outra pessoa, do sr. Maxfield ou de mim, mas do pregador mais humilde de Londres; sim, de todas as pessoas. Pois Deus envia a sabedoria por meio de quem lhe apraz.

Portanto, não digas a ninguém que queira te aconselhar ou criticar: "És cego, não podes me ensinar". Não digas: "Essa sabedoria é tua, da tua razão carnal". Em vez disso, reflete com calma diante de Deus no que foi dito.

Lembrai-vos sempre de que muita graça não significa muita luz. Essas duas nem sempre andam juntas. Assim como pode haver muita luz onde há pouco amor, também pode haver muito amor onde há pouca luz. O coração tem mais calor do que o olho, mas não consegue ver. E Deus combinou sabiamente os membros do corpo, de modo que nenhum possa dizer ao outro: "Não preciso de vós" (1Co 12.21).

Imaginar que ninguém além daqueles que também já foram salvos do pecado possa vos ensinar é um grande e perigoso erro. Não vos rendais a essa ideia por um instante sequer; ela conduziria a milhares de outros erros, e de maneira irrecuperável. Não, o domínio não se funda na graça, como dizia um louco de outros tempos. Obedecei e respeitai "os que vos presidem no Senhor" (1Ts 5.12), e não acheis que sois mais sábios do que eles. Conhecei o lugar deles e o vosso, sempre vos lembrando de que muito amor não implica muita luz.

Não observar esses preceitos tem conduzido a muitos erros e, no mínimo, à aparência de orgulho. Ah, cuidado com a aparência e com o próprio orgulho! Que haja em vós "o mesmo sentimento que houve também em Cristo Jesus" (Fp 2.5). E "cingi-vos todos de humildade" (1Pe 5.5). Que ela não apenas vos preencha, mas vos cubra da cabeça aos pés. Que a modéstia e o recato transpareçam em todas as vossas palavras e ações. Que tudo o que falais e fazeis mostre que vos considerais pequenos, humildes, pobres e vis aos vossos próprios olhos.

Como exemplo dessa atitude: estejais sempre prontos a assumir qualquer falta que tenhais cometido. Se, em algum momento, pensastes, falastes ou agistes de modo errado, não tardeis em reconhecê-lo. Nunca penseis que isso prejudicará a causa de Deus; não, isso irá promovê-la. Portanto, sede sinceros e francos quando vos acusarem de alguma coisa; não procureis fugir ou dissimular; deixai que tudo se mostre exatamente como é. Desse modo, não ireis prejudicar, mas favorecer o evangelho.

P. 33: Qual é o segundo conselho que lhes daria?

R: Cuidado com a filha do orgulho, a exaltação religiosa provocada pelo excesso de imaginação. Ah, mantende-vos a maior distância possível dela! Não deis trela à imaginação febril. Não atribuais coisas a Deus precipitadamente. Não suponhais de imediato que sonhos, vozes, impressões, visões ou revelações venham de Deus. Podem vir dele. Podem vir da natureza. Podem vir do diabo. Portanto, "não deis crédito a qualquer espírito; antes, provai os espíritos se procedem de Deus" (1Jo 4.1). Examinai tudo sob a palavra escrita de Deus, e que tudo se submeta a ela. Quando nos deixamos afastar o mínimo que seja das Escrituras, corremos o risco de cair no fanatismo;

assim também quando nos afastamos do sentido claro e literal de qualquer texto, tomado junto com o contexto. E também quando desprezamos ou damos pouco valor à razão, ao conhecimento ou ao saber humano; tudo isso são dádivas excelentes de Deus e podem servir aos propósitos mais nobres.

Aconselho-vos a nunca usar as palavras "sabedoria", "razão" ou "conhecimento" em tom de reprovação. Ao contrário, orai para vos aperfeiçoar cada vez mais em cada uma dessas áreas. Se vos referis à sabedoria mundana, ao conhecimento inútil, aos falsos raciocínios, deixai isso claro e jogai fora a palha, não o trigo.

Uma porta de entrada geral para o entusiasmo excessivo é esperar o fim sem os meios; esperar o conhecimento, por exemplo, sem pesquisar as Escrituras e consultar os filhos de Deus; esperar força espiritual sem a oração constante e a firme vigilância; esperar qualquer bênção sem escutar a palavra de Deus em todas as oportunidades.

Alguns ignoram essa artimanha de Satanás. Abandonaram o exame das Escrituras. Dizem: "Deus escreve toda a Bíblia no meu coração. Portanto, não preciso lê-la". Outros acham que não têm muita necessidade de escutar, então começam a deixar de assistir ao culto devocional matinal. Ah, tomai cuidado, vós que vos encontrais nessa situação! Destes ouvidos à voz de um estranho. Voltai rápido a Cristo e conservai-vos no bom caminho tradicional, "que uma vez por todas foi entregue aos santos" (Jd 1.3), o caminho do qual até mesmo um ateu deu testemunho: "Os cristãos se levantam cedo todos os dias para cantar hinos de louvor a Cristo como a um deus".[48]

---

[48] Trecho de carta de Plínio, o Jovem (61–113 d.C.), governador romano da Bitínia (região que, atualmente, fica ao noroeste da Turquia), ao imperador romano Trajano (r. 98–117 d.C), sobre as atividades dos cristãos na região. (N. da T.)

O mero desejo de "crescer na graça" pode conduzir ao entusiasmo excessivo. Como leva sempre a se buscar novas graças, pode nos conduzir, inadvertidamente, a buscar algo diferente, além de novos graus de amor a Deus e ao próximo. Assim, levou alguns a buscar e a imaginar que haviam recebido, além de um coração novo, dádivas de um novo tipo, tais como: (1) amar a Deus com todo o nosso entendimento; (2) com toda a nossa alma; (3) com todas as nossas forças; (4) unidade com Deus; (5) unidade com Cristo; (6) ter nossa vida escondida com Cristo em Deus; (7) ser morto com Cristo; (8) ressuscitar com ele; (9) sentar-se com ele em lugares celestiais; (10) ser elevado até o seu trono; (11) estar na Nova Jerusalém; (12) ver o tabernáculo de Deus descer entre os seres humanos; (13) ser morto para toda obra; (14) não estar sujeito à morte, dor, sofrimento ou tentação.

Uma das causas de vários desses erros é encarar cada encontro com qualquer dessas passagens das Escrituras que sugerem uma forte aplicação ao coração como um dom de um novo tipo; não saber que várias dessas passagens ainda não foram cumpridas; que a maioria das outras é cumprida quando somos justificados; as demais, no momento em que somos santificados. Resta apenas experimentá-las em graus mais elevados. Isso é tudo o que temos a esperar.

Outra causa desses e de mil outros erros é não considerar profundamente que o amor é o dom mais elevado de Deus; o amor humilde, gentil, paciente; não considerar que todas as visões, revelações ou manifestações de todo tipo são pequenas comparadas ao amor, e que todos os dons acima mencionados são iguais ou infinitamente inferiores a ele.

Seria bom que todos tomassem plena consciência disso: "o céu dos céus é o amor".[49] Não há nada mais sublime na religião; na verdade, não existe mais nada. Se procurais por

[49] Do hino "Banquet", de Charles Wesley. (N. da T.)

algo além do amor, estais no rumo errado, estais vos desviando do caminho régio. E quando perguntais a outros: "Já recebestes esta ou aquela bênção?", se quereis dizer algo além do amor, estais errados; estais tirando-os do caminho certo e levando-os a seguir uma pista falsa. Estabelecei então em vosso coração que, a partir do momento em que Deus vos salvou de todos os pecados, não deveis visar a mais nada além daquele amor descrito no capítulo 13 da carta aos Coríntios. Não há como subir mais alto do que isso, até que sejamos levados ao seio de Abraão.

Digo novamente: cuidado com o entusiasmo. Por exemplo, imaginar que tendes o dom de profetizar, ou do discernimento espiritual, que não creio que nenhum de vós tenhais, nem tivestes. Cuidado ao julgar que as pessoas estão certas ou erradas conforme os vossos próprios sentimentos. Essa não é a forma bíblica de se julgar. Ah, segui de perto "a lei e o testemunho" (Is 8.20)!

P. 34: Qual é o terceiro conselho?

R: Cuidado com o antinomianismo; "anulamos a lei", ou qualquer parte dela, "pela fé" (Rm 3.31). A exaltação leva naturalmente a isso; na verdade, é difícil separá-los. Ele pode se infiltrar de mil formas, então todo cuidado é pouco. Prestai atenção em tudo, seja nos princípios, seja na prática, que apresente alguma tendência ao entusiasmo. Mesmo aquela grande verdade, de que "o fim da lei é Cristo" (Rm 10.4), pode nos induzir a erro, se não considerarmos que ele adotou cada ponto da lei moral e enxertou-a na lei do amor. Cuidado ao pensar: "Como estou repleto de amor, não preciso ter tanta santidade. Como oro sempre, não preciso fixar um tempo para orar em particular. Como estou sempre vigilante, não preciso fazer nenhum exame de consciência especial". Vamos "engrandecer a lei", toda a palavra escrita, "e fazê-la gloriosa" (Is 42.21). Que esta seja a nossa voz: "Amo os teus mandamentos mais do que o ouro, mais do que o ouro refinado. Quanto amo a tua lei! É a minha meditação, todo o dia!" (Sl 119.127; 119.97). Cuidado com os livros antinomianistas, principalmente as obras do dr. Crisp e do sr. Saltmarsh. Há neles muitos aspectos excelentes, e isso os torna ainda mais perigosos. Ah, tomai cuidado! Não brinqueis com fogo. Guardai-vos de meter "a mão na cova do basilisco" (Is 11.8). Rogo-vos, cuidado com o fanatismo. Não deixeis o vosso amor ou caridade confinar-se aos chamados metodistas, muito menos àquela pequena parte deles que parece ter sido renovada no amor; ou àqueles que acreditam no vosso ensinamento (e nos deles próprios). Ah, que não seja esse o vosso "chibolete" (Jz 12.5-6)! Cuidado com a imobilidade; essa é a forma errada de parar de fazer boas obras. Para mencionar um exemplo entre vários: "Recebeste uma grande bênção", diz alguém. "Mas começaste a falar aos outros sobre isso, e a fazer isso e aquilo, então a perdeste. Devias ter ficado quieto."

Cuidado com a autoindulgência, e em fazer dela uma virtude, zombar da abnegação e de quem carrega a cruz diariamente, jejuando ou fazendo abstinência. Cuidado com a tendência a criticar; a chamar de cegos, mortos, decaídos ou "inimigos da obra" aqueles que se opõem a vós de alguma forma, quer nas ideias, quer na prática. Mais uma vez, cuidado com o solifideísmo,[50] que só grita: "Crê, crê!" e condena como ignorantes ou legalistas aqueles que falam em um sentido mais bíblico. Em certas ocasiões, de fato, é correto pregar apenas sobre o arrependimento, ou meramente sobre a fé, ou somente sobre a santidade; mas, em geral, nossa

---

[50] Do latim *sola fide*; doutrina da salvação pela fé somente. O termo vem de Lutero, que acreditava na justificação apenas pela fé, sem a necessidade de obras. Wesley compartilhava desse princípio luterano, mas considerava que o verdadeiro cristão deveria produzir boas obras. Aqui Wesley não está se referindo a Lutero, mas àqueles que se escondiam atrás do lema *sola fide* para levar uma vida que não refletia os princípios ensinados na Bíblia. (N. da T.)

obrigação é explicar todo conselho de Deus e profetizar "segundo a proporção da fé" (Rm 12.6). As Escrituras tratam da justiça em todos os seus ramos e em cada ramo particular, até os mais diminutos, como ser sóbrio, cortês, aplicado, paciente, honrar a todas as pessoas. O Espírito Santo age da mesma forma em nosso coração, não apenas criando desejos de santidade em geral, mas inclinando-nos fortemente em direção a cada graça em particular, conduzindo-nos a cada parte individual de "tudo o que é amável" (Fp 4.8). E isso do modo mais correto, pois é "pelas obras que a fé se consuma" (Tg 2.22). Assim, completar ou destruir a obra de fé, e desfrutar do favor ou sofrer o descontentamento de Deus é algo que depende em grande parte de cada pequeno ato de obediência ou desobediência.

P. 35: Qual é o quarto conselho?

R: Cuidado com os pecados de omissão; não percais nenhuma oportunidade de fazer o bem, de qualquer tipo. Sede "zelosos de boas obras" (Tt 2.14); não omitais voluntariamente nenhuma obra, de piedade ou misericórdia. Fazei todo o bem possível ao corpo e à alma das pessoas. Em particular, "repreenderás o teu próximo e, por causa dele, não levarás sobre ti pecado" (Lv 19.17). Sede ativos. Não deis lugar à indolência ou preguiça; não deis oportunidade para que alguém vos diga: "Estais ociosos, estais ociosos" (Êx 5.17). Muitos dirão isso de qualquer forma, mas deixai todo o vosso espírito e comportamento refutarem a calúnia. Estejai sempre ocupados, não percais nenhum segundo; juntai os fragmentos, para que nada se perca. E "tudo quanto te vier à mão para fazer, faze-o conforme as tuas forças" (Ec 9.10). Sede "tardios para falar" (Tg 1.19) e falai com cuidado. "No muito falar não falta transgressão" (Pv 10.19). Não faleis muito, nem durante muito tempo a cada vez. Poucos conseguem conversar de modo proveitoso durante mais de uma hora. Mantende-vos longe da conversa fiada e das fofocas religiosas.

P. 36: Qual é o quinto conselho?

R: Cuidado ao desejardes algo que não seja Deus. Agora vós não desejais mais nada; todos os outros desejos foram expulsos; cuidai para que não entrem novamente. "Conserva-te a ti mesmo puro" (1Tm 5.22); conservai o "olho único", pois assim "todo o corpo se enche de luz" (Mt 6.22). Não vos deixeis dominar pelo desejo de boa comida ou qualquer outro prazer dos sentidos; por nenhum desejo de agradar aos olhos ou à imaginação, por nada de grandioso, novo ou belo; por nenhum desejo de dinheiro, louvor ou estima; de felicidade em qualquer criatura. É possível trazer esses desejos de volta, mas não é necessário; não precisais mais deles. Ah, permaneceis firmes na liberdade com a qual Cristo vos libertou.

Sede modelos para todos, de negar a vós mesmos e de carregar a cruz diariamente. Mostrai-lhes que não sois atraídos por nenhum prazer que não vos leve para mais perto de Deus, nem vos importais com qualquer dor que vos aproxime dele; que desejais simplesmente agradar a ele, quer pelas ações, quer pelo sofrimento; que a linguagem constante de vosso coração, em relação ao prazer ou à dor, honra ou desonra, riqueza ou pobreza, seja:

Tudo me é de igual teor,
Vivo e morro em meu Senhor![51]

P. 37: Qual é o sexto conselho?

R: Cuidado com os cismas; não crieis divisões na Igreja de Cristo. Essa desunião interna, quando os membros deixam de ter amor uns pelos outros (1Co 12.25), é a própria raiz de toda discórdia e toda separação externa. Cuidado com tudo o que apresente essa tendência. Cuidado com o espírito de divisão; evitai tudo o que tiver alguma semelhança com isso,

---

[51] Do hino "Lovely Lamb, I Come to Thee", de Charles Wesley. (N. da T.)

por menor que seja. Por conseguinte, não digais: "Eu sou de Paulo, e eu, de Apolo" (1Co 1.12), a verdadeira causa do cisma de Corinto. Não digais: "Este é meu pregador; o melhor pregador do país. Ficarei com este e mandarei todos os outros embora". Tudo isso tende a gerar ou fomentar divisão, a desunir aqueles a quem Deus uniu. Não desprezeis ou critiqueis nenhum pregador; não exalteis ninguém acima dos demais, para não prejudicar a ele nem à causa de Deus. Por outro lado, não sejais severos para com nenhum deles em razão de alguma incoerência ou imprecisão de expressão; não, nem por uns poucos erros, mesmo que sejam realmente erros.

Do mesmo modo, se quiserdes evitar o cisma, obedecei a todas as regras da Sociedade e dos Grupos, por dever de consciência. Nunca falteis a uma reunião da vossa Classe ou Grupo; nunca deixeis de comparecer a qualquer encontro público. Esses são os tendões de nossa Sociedade, e tudo o que os enfraquecer, ou tenda a enfraquecer, nosso respeito por eles, ou nossa assiduidade a eles, ataca a própria raiz de nossa comunidade. Como disse alguém: "Essa parte de nossa economia, as reuniões privadas semanais para oração, exame e exortação pessoal, tem sido o principal meio para aprofundar e confirmar toda bênção que foi recebida por uma palavra pregada, e de difundi-la a outros que não puderam assistir à pregação pública. Sem essa conexão e intercâmbio religiosos, as mais fervorosas tentativas, por mera pregação, não se mostraram de eficácia duradoura".

Não acalenteis a ideia de vos separar de vossos irmãos, quer as opiniões deles concordem com as vossas, quer não. Nem penseis que alguém comete pecado por não acreditar em vós, por não aceitar a vossa palavra, nem que esta ou aquela opinião é essencial para a obra, e que ambas precisam manter-se em pé ou cair juntas. Cuidado com a impaciência quando alguém vos contradiz. Não condeneis ou penseis mal daqueles que não veem as coisas como vedes, ou que julgam que é seu dever contradizer-vos, em grandes ou pequenas coisas. Receio que alguns de nós pensemos mal de outros meramente porque eles contradizem o que afirmamos. Tudo isso conduz à divisão e, com esse tipo de comportamento, fazemos que os outros pensem mal de nós.

Ah, cuidado com a suscetibilidade, a irritabilidade, a intolerância a críticas, a cólera diante da menor contradição e o impulso de fugir daqueles que não concordam automaticamente com as vossas ideias ou as de outra pessoa!

Esperai contradição e oposição, junto com tribulações de vários tipos. Considerai as palavras de São Paulo: "Porque vos foi concedida a graça de padecerdes por Cristo", por sua causa, como fruto de sua morte e intercessão por nós, "e não somente de crerdes nele" (Fp 1.29). *Foi concedida!* Deus vos dá essa oposição ou repreensão; é um novo símbolo de seu amor. Ousareis repudiar o Doador ou rejeitar sua dádiva e considerá-la uma desgraça? Não será melhor dizer: "Pai, chegou a hora de seres glorificado. Deste ao teu filho a oportunidade de sofrer por ti. Faz comigo a tua vontade"? Sabei que essas coisas, longe de serem obstáculos à obra de Deus ou à vossa alma, exceto quando seja por vossa própria culpa, não apenas são inevitáveis no âmbito da Providência, mas proveitosas e ainda necessárias. Portanto, recebei-as de Deus (não do acaso) com disposição, com gratidão. Recebei-as das pessoas com humildade, mansidão, submissão, delicadeza, doçura. Nossa aparência e comportamento externos não deveriam ser gentis? Lembrai-vos do caráter da sra. Cutts.[52] Do imperador romano Tito se dizia que jamais alguém saiu descontente após encontrá-lo. Mas da sra. Cutts se podia dizer que jamais alguém chegou a ela descontente,

---

[52] Wesley provavelmente se refere a Elizabeth Cutts (1679–1697), cuja vida exemplar foi descrita em um texto de autoria do bispo Francis Atterbury (1663–1732), *A Discourse Occasioned by the Death of Lady Cutts* [Discurso pronunciado por ocasião da morte da sra. Cutts] (1698). (N. da T.)

tão seguros estavam todos da recepção amável e favorável que lhes daria.

Cuidado para não incitar os outros a se separarem de vós. Se puderdes evitar, não os ofendais; cuidai para que a vossa prática esteja sempre adequada à vossa profissão de fé, embelezando a doutrina de Deus nosso Salvador. Cuidai, especialmente, ao falar de vós mesmos. Não deveis negar a obra de Deus, mas falar dela, quando fordes chamados a fazê-lo, da maneira mais inofensiva possível. Evitai todas as palavras magníficas, pomposas; na verdade, não é preciso dar-lhe um nome geral — nem perfeição, nem santificação, nem segunda bênção, nem o fato de se tê-la atingido. Em vez de falar dos detalhes do que Deus operou em vós, seria melhor dizer: "Naquele momento, senti uma transformação que não sou capaz de expressar, e desde aquele instante não senti orgulho, obstinação, ira ou descrença; nem coisa alguma além de uma plenitude de amor a Deus e a toda a humanidade". E respondei com modéstia e simplicidade qualquer outra pergunta simples que vos façam.

E se algum de vós, a qualquer momento, sofrer uma recaída do estado que atingistes e sentir novamente orgulho ou descrença, ou qualquer inclinação de que estais agora livre, não negueis, não escondais, não disfarceis de modo algum, sob o risco de perderdes a alma. Assim que possível procurai alguém em quem confiais e contai-lhe exatamente como vos sentis. Deus vos ajudará a dizer a "boa palavra" (Is 50.4), que irá curar-vos a alma. E com certeza ele fará que vossa cabeça se levante outra vez e os ossos esmagados exultem (Sl 51.8).

P. 38: Qual é o último conselho que lhes daria?

R: Sede modelos em tudo, principalmente nas coisas externas (como o vestuário), nas pequenas coisas, na administração do dinheiro (evitando todos os gastos desnecessários), em profunda e sólida seriedade, tanto quanto na solidez e proveito de todas as vossas conversas. Assim sereis "uma candeia que brilha em lugar tenebroso" (2Pe 1.19). Assim, crescereis na graça (2Pe 3.18) diariamente até que "vos será amplamente suprida a entrada no reino eterno de nosso Senhor e Salvador Jesus Cristo" (2Pe 1.11).

A maioria dos conselhos anteriores é reforçada enfaticamente nas seguintes reflexões, que recomendo para a vossa profunda e frequente consideração, após a leitura das Sagradas Escrituras:

(1) O mar é uma excelente figura da plenitude de Deus e do Espírito Santo. Pois como todos os rios retornam ao mar, assim também o corpo, a alma e as boas obras dos justos retornam a Deus, para lá viver em eterno repouso.

Embora todas as graças de Deus dependam de sua pura generosidade, ele gosta, geralmente, de vinculá-las às orações, às instruções e à santidade daqueles com quem nos associamos. Valendo-se de forças poderosas, ainda que invisíveis, ele atrai algumas almas por meio da interação delas com outras.

As afinidades formadas pela graça ultrapassam em muito aquelas formadas pela natureza.

Os verdadeiramente devotos mostram que as paixões fluem tão naturalmente de um verdadeiro amor quanto de um falso, já que eles têm profunda consciência do que existe de bem e mal naqueles a quem amam em Deus. Mas isso só pode ser entendido por aqueles que entendem a linguagem do amor.

O fundo da alma pode estar em repouso, ainda que estejamos enfrentando muitas perturbações externas, assim como o fundo do mar é calmo, enquanto a superfície é intensamente agitada.

Os melhores recursos para o crescimento na graça são os maus-tratos, as afrontas e as perdas que sofremos. Devemos recebê-los com toda gratidão, como preferíveis a todos os outros, ainda que fosse apenas por esta razão: a de que nossa vontade não tem nenhuma participação neles.

A forma mais rápida de se escapar do sofrimento é estar disposto a suportá-lo enquanto aprouver a Deus.

Se sofremos perseguição e aflição da maneira correta, atingimos um nível mais alto de conformidade com Cristo, pelo aperfeiçoamento alcançado ao enfrentarmos essas situações, do que alcançaríamos meramente imitando sua misericórdia por meio de muitas boas obras.

Uma das maiores evidência do amor de Deus àqueles que o amam é enviar-lhes aflições, com a graça necessária para suportá-las.

Mesmo nas maiores aflições, devemos testificar a Deus que, ao recebê-las de sua mão, sentimos alegria em meio à dor, por sermos afligidos por aquele que nos ama e a quem amamos.

A maneira mais frequente pela qual Deus atrai uma pessoa para si é afligi-la naquilo que ela mais ama com base em motivos puros, e fazer que essa aflição brote de alguma boa ação feita com sinceridade de propósitos, porque nada pode mostrar com mais clareza o vazio do que é mais adorável e desejável no mundo.

(2) A verdadeira resignação consiste em uma absoluta conformidade com toda a vontade de Deus, que decide e executa tudo aquilo que acontece no mundo (exceto o pecado). Para fazer isso basta que aceitemos todos os acontecimentos, bons e maus, como vontade dele.

Em meio às maiores aflições que recaem sobre os justos, vindas do céu ou da terra, eles permanecem firmes na paz e perfeitamente submissos a Deus, por um respeito íntimo e amoroso a ele, reunindo todas as forças de sua alma.

Devemos sofrer com serenidade tudo o que nos acontecer, tolerar os defeitos dos outros e os nossos próprios, confessá-los a Deus em oração íntima, ou com "gemidos inexprimíveis" (Rm 8.26), mas nunca dizer alguma palavra brusca ou rabugenta, nem resmungar ou reclamar, mas nos submeter completamente, deixando que Deus nos trate como bem desejar. Somos suas ovelhas e, assim, devemos estar prontos a sofrer, até morrer, sem nos queixarmos.

Devemos tolerar aqueles a quem não podemos mudar e contentar-nos em deixá-los a cargo de Deus. Essa é a verdadeira resignação. E, assim como ele suportou nossas fraquezas, nós também podemos suportar as fraquezas uns dos outros por amor a ele.

Abandonar tudo, despir-nos de tudo, a fim de buscarmos e seguirmos Jesus Cristo nus a Belém, onde ele nasceu; nus até a sala onde ele foi açoitado e nus até o Calvário, onde morreu na cruz; essa é uma misericórdia tão grande que só pela fé no Filho de Deus pode ser recebida ou compreendida.

(3) Não existe amor a Deus sem paciência, e não existe paciência sem humildade e doçura de espírito.

Humildade e paciência são as provas mais seguras do crescimento do amor.

Só a humildade soma a paciência ao amor; sem isso é impossível extrair proveito do sofrimento ou, na verdade, evitar as queixas, principalmente quando achamos que não demos motivo para o que as pessoas nos fazem sofrer.

A verdadeira humildade é um tipo de autoaniquilação, e esse é o centro de todas as virtudes.

A alma que retorna a Deus deve estar atenta a tudo o que lhe seja dito em relação à salvação, na tentativa de obter proveito.

Dos pecados que Deus perdoou, que nada reste além de uma humildade mais profunda no coração e um controle mais rígido em nossas palavras, ações e sofrimento.

(4) Tolerar as pessoas e suportar os males em mansidão e silêncio é o resumo da vida cristã.

Nosso primeiro dever é amar a Deus. O dever seguinte é tolerar os defeitos dos outros. E comecemos essa prática em nossa própria casa.

Devemos exercitar nosso amor sobretudo com aqueles que mais contrastam com nosso modo de pensar, nosso temperamento ou nossos conhecimentos, ou com o desejo que temos de que os outros sejam tão virtuosos como gostaríamos de ser.

(5) Deus raramente concede seu Espírito, mesmo àqueles que já fortaleceu na graça, se eles não orarem por isso em todas as ocasiões, não apenas uma vez, mas várias vezes.

Deus não age senão em resposta à oração. Mesmo aqueles que se converteram a Deus sem que eles mesmos orassem por isso (o que é extremamente raro) não se teriam convertido sem as orações dos outros. Cada nova vitória que a alma obtém é efeito de uma nova oração.

Em toda ocasião de inquietude, devemos nos retirar para orar, para dar lugar à graça e luz de Deus e então tomar nossas decisões, sem ter qualquer preocupação com o sucesso que venham a alcançar.

Nas maiores tentações, um único olhar a Cristo, e a mera pronúncia de seu nome é suficiente para derrotar o maligno; que isso seja feito com confiança e calma de espírito.

A ordem de Deus para "orar sem cessar" (1Ts 5.17) se baseia na necessidade que temos de sua graça para conservar a vida de Deus na alma, que não sobrevive por um instante sequer sem ela, assim como o corpo não sobrevive sem ar.

Quer pensemos em Deus ou falemos com ele, quer atuemos ou soframos por ele, tudo é oração, quando não temos nenhum outro alvo além de seu amor e o desejo de agradá-lo.

Tudo o que um cristão faz, mesmo comer e dormir, é oração, quando é feito em simplicidade, conforme a ordem de Deus, sem adicionar nem subtrair nada.

A oração continua no desejo do coração, mesmo que o pensamento esteja voltado a coisas externas.

Em almas habitadas pelo amor, o desejo de agradar a Deus é uma oração contínua.

Como o ódio violento que o diabo tem por nós é comparado ao rugido de um leão (1Pe 5.8), assim o nosso fervoroso amor pode ser comparado a um clamor a Deus.

Deus só exige dos filhos adultos que seu coração seja verdadeiramente purificado e que lhe ofereçam sempre os desejos e votos que naturalmente brotam do amor perfeito. Pois esses desejos, sendo genuínos frutos do amor, são as mais perfeitas orações que podem dele brotar.

(6) É difícil conceber quão estreito é o caminho pelo qual Deus conduz aqueles que o seguem, e quão dependentes devemos ser dele se não nos faltar fidelidade.

É difícil acreditar quão importantes são as menores coisas diante de Deus, e que grandes inconveniências às vezes se seguem a faltas que, a princípio, parecem ser leves.

Assim como só um pouco de pó é capaz de estragar um relógio, e a menor partícula de areia pode toldar nossa visão, da mesma forma o menor grão de pecado em nosso coração atrapalhará nossa aproximação de Deus.

Devemos nos comportar na igreja como santos no paraíso, e em casa como as pessoas mais santas se comportam na igreja; fazendo nossa obra em casa assim como oramos na igreja; adorando a Deus do fundo do coração.

Devemos nos esforçar continuamente para nos livrar de todas as coisas inúteis que nos cercam; Deus geralmente restringe o que é supérfluo em nossa alma na mesma proporção em que o fazemos em nosso corpo.

O melhor meio de resistir ao diabo é destruir tudo o que permanece do mundo em nós, a fim de erguer para Deus, sobre as ruínas, um edifício todo feito de amor. Então começaremos, nesta vida fugaz, a amar a Deus assim como o amaremos na eternidade.

É difícil concebermos quão fácil é roubar a Deus o amor que lhe devemos quando formamos amizade com pessoas mais virtuosas, até que elas nos são arrancadas pela morte.

Mas se essa perda produz uma dor duradoura, isso é uma clara prova de que antes tivemos dois tesouros entre os quais dividíamos nosso coração.

(7) Se, depois de termos renunciado a tudo, não vigiarmos incessantemente e rogarmos a Deus que nos acompanhe nessa vigilância, seremos novamente enredados e vencidos.

Assim como os ventos mais perigosos entram por pequenas frestas, a forma mais perigosa pela qual o diabo pode entrar é por meio de pequenos incidentes que nem percebemos e que não parecem ter importância, mas que abrem o coração a grandes tentações sem que sequer notemos.

É bom nos renovarmos, de tempos em tempos, examinando com atenção o estado de nossa alma, como se nunca o tivéssemos feito antes; pois nada contribui mais para a plena segurança de fé do que nos mantermos, por esse meio, na humildade e no exercício de todas as boas obras.

À oração e vigilância constante deve ser acrescentado o trabalho contínuo. Porque a graça foge do vácuo assim como a natureza, e o diabo ocupa tudo o que Deus não ocupar.

Não existe fidelidade como a que deve haver entre um guia de almas e a pessoa a quem ele dirige. Eles devem constantemente ver um ao outro em Deus e examinar-se atentamente para verificar se todos os seus pensamentos são puros e se todas as suas palavras são enunciadas com discrição cristã. Outros assuntos são de interesse apenas das pessoas, mas esses são de interesse de Deus.

(8). As palavras de São Paulo, "ninguém pode dizer: Senhor Jesus!, senão pelo Espírito Santo" (1Co 12.3), mostram-nos a necessidade de mirarmos a Deus em nossas boas obras e mesmo em nossos menores pensamentos, sabendo que nenhum deles agrada a ele a não ser aqueles que ele forma em nós e conosco. A partir disso, aprendemos que não podemos servir a ele a não ser que ele use nossa língua, mãos e coração para fazer por si próprio e seu Espírito tudo o que gostaria que fizéssemos.

Se não fôssemos totalmente impotentes, nossas boas obras seriam propriedade nossa, enquanto, na realidade, elas pertencem inteiramente a Deus, porque procedem dele e de sua graça. Erguendo nossas obras e tornando-as todas divinas, ele se glorifica em nós por meio delas.

Uma das principais regras da religião é: não percais nenhuma ocasião de servir a Deus. E, como ele é invisível a nossos olhos, devemos servi-lo por meio do próximo, serviço que ele recebe como se tivesse sido feito a si próprio em pessoa e ele estivesse visível diante de nós.

Deus não ama as pessoas que são inconstantes, nem as boas obras que são interrompidas. Nada agrada a ele senão o que tenha a aparência de sua própria imutabilidade.

Uma atenção constante à obra que Deus confia a nós é uma marca de sólida piedade.

O amor nos incita ao jejum sempre que possível. Faz que obedeçamos a todas as ordens de Deus e nos dediquemos a todas as obras externas de que somos capazes. O amor voa, por assim dizer, como Elias para encontrar a Deus em seu monte santo.

Deus é tão grande que transmite grandeza ao menor serviço que seja feito em seu nome.

Felizes são aqueles que estão doentes, sim, ou perdem a vida, por terem feito uma boa obra.

Deus muitas vezes oculta a parte que seus filhos desempenham na conversão de outras almas. Ainda assim, ousamos dizer que, quando uma pessoa suplica a ele pela conversão de outra, quando essa alma se converte a Deus, essa é uma das principais causas.

A caridade não pode ser praticada corretamente se, em primeiro lugar, não a exercitamos no momento em que Deus nos dá a oportunidade; em segundo lugar, se não nos retiramos no instante seguinte para oferecê-la a Deus em humilde ação de graças. E isso por três motivos: primeiro, para entregar-lhe o que recebemos dele. Segundo, para evitar a perigosa tentação que emerge da própria bondade dessas obras. E, terceiro, para nos unirmos a Deus, em quem a alma se expande na oração, com todas as graças que recebemos, e as boas obras que fizemos, para extrair dele novas forças contra os maus efeitos que essas mesmas obras possam produzir em nós, se não nos valermos dos antídotos que Deus nos deu para combater esses venenos. O verdadeiro meio para sermos novamente preenchidos com a riqueza da sua graça é, portanto, despir-nos dela, e sem isso é extremamente difícil não esmorecer na prática de boas obras.

As boas obras não alcançam a perfeição final até que se percam, por assim dizer, em Deus. Esse é um tipo de morte para elas, lembrando a de nosso corpo, que não atingirá a vida mais elevada, a imortalidade, até se perder na glória de nossa alma, ou melhor, de Deus, com a qual serão preenchidas. E o que as boas obras perdem com essa morte espiritual é apenas o que elas possuíam de terreno e mortal.

O fogo é o símbolo do amor; e o amor a Deus é o princípio e o fim de todas as nossas boas obras. Mas a verdade ultrapassa o símbolo, e o fogo do amor divino tem essa vantagem sobre o fogo material, a de poder voltar à origem e para lá ascender levando consigo todas as boas obras que produz. Dessa forma, impede que sejam corrompidas pelo orgulho, vaidade ou qualquer mistura danosa. Mas isso só acontece se fizermos essas boas obras morrerem espiritualmente em Deus, por meio de uma profunda gratidão, que submerge a alma em Deus como em um abismo, com tudo o que contém e toda a graça e obras pelas quais está em dívida com ele; uma gratidão que parece levar a alma a se esvaziar das obras, de modo que elas possam retornar à origem, como os rios parecem se esvaziar quando derramam as águas dentro do mar.

Quando recebemos qualquer favor de Deus, devemos nos retirar, se não para nosso quarto, em nosso coração, e dizer: "Venho, Senhor, devolver-te o que me deste, ao que renuncio livremente para retornar à minha insignificância. Pois o que é a mais perfeita criatura no céu ou na terra em tua presença senão um vazio que pode ser preenchido contigo e por ti; como o ar, que é vazio e escuro, é preenchido pela luz do sol, que a remove todas as noites e a devolve no dia seguinte, não havendo nada no ar que se aproprie dessa luz ou resista a ela? Ah, dá-me a mesma capacidade de receber e devolver tua graça e tuas boas obras! Digo *tuas*, pois reconheço que a raiz da qual elas brotam está em ti, não em mim".

26 No ano de 1764, ao reavaliar toda a questão, redigi um resumo das minhas observações organizado nas breves proposições que se seguem:

(1) Existe a perfeição, pois é mencionada várias vezes nas Escrituras.

(2) Ela não é recebida tão cedo quanto a justificação; pois os justificados devem "prosseguir até a perfeição" (Hb 6.1, RC).

(3) É recebida antes da morte, pois São Paulo fala em pessoas vivas que são perfeitas (Fp 3.15).

(4) Não é absoluta. A perfeição absoluta não pertence aos seres humanos, nem aos anjos, mas somente a Deus.

(5) Não torna uma pessoa infalível: ninguém é infalível enquanto permanece no corpo.

(6) Seria sem pecado? Não vale a pena discutirmos por questões semânticas. É a "salvação do pecado".

(7) É "amor perfeito" (1Jo 4.18). Essa é a essência dela; suas propriedades, ou frutos inseparáveis, são: regozijar-se sempre, orar sem cessar e em tudo dar graças (1Ts 5.16-18).

(8) É aperfeiçoável. Está longe de se fixar em um ponto indivisível ou de não poder aumentar. Na verdade, alguém

aperfeiçoado no amor pode crescer na graça muito mais rápido do que antes.

(9) Pode ser perdida, um fenômeno do qual temos numerosos exemplos. Mas não estávamos completamente convencidos disso até cinco ou seis anos atrás.

(10) Costuma ser precedida e seguida por uma obra gradual.

(11) Seria instantânea ou não? Examinando essa questão, devemos ir passo a passo.

Uma transformação instantânea se operou em alguns crentes. Ninguém pode negá-lo.

Desde essa transformação, eles desfrutam do amor perfeito; sentem isso, e apenas isso; "regozijam-se sempre, oram sem cessar e em tudo dão graças" (1Ts 5.16-18). Ora, isso é tudo o que quero dizer com "perfeição"; por conseguinte, esses são testemunhos da perfeição que prego.

[Objeção] Mas em algumas pessoas essa transformação não foi instantânea.

[Resposta] Elas não perceberam o instante em que se efetuou. Muitas vezes é difícil perceber o instante em que uma pessoa morre; ainda assim, há um instante em que a vida cessa. E se o pecado realmente cessar, deve haver um último instante de sua existência, e um primeiro instante de nossa libertação dele.

[Objeção] Mas se eles têm esse amor agora, irão perdê-lo.

[Resposta] É possível, mas não necessário. E, quer percam, quer não, eles o têm agora; experimentam agora o que ensinamos. São agora puro amor; regozijam-se, oram e louvam sem cessar.

[Objeção] No entanto o pecado foi apenas suspenso neles; não foi destruído.

[Resposta] Chamai isso como quiserdes. Eles são puro amor hoje, e não se inquietam com o dia de amanhã (Mt 6.34).

[Objeção] Essa doutrina vem sendo usada de modo muito inadequado.

[Resposta] Tanto quanto a justificação pela fé. Mas isso não é razão para que se abandone esta ou qualquer outra doutrina bíblica. Como se costuma dizer: "Quando se dá banho no bebê, joga-se fora a água, não o bebê".

[Objeção] Aqueles que acham que foram salvos do pecado dizem que não precisam dos méritos de Cristo.

[Resposta] Eles dizem exatamente o contrário. O que dizem é:

Os méritos de tua morte
Desejo a todo instante![53]

Nunca antes eles haviam tido uma convicção tão profunda, tão indescritível, da necessidade de Cristo em todos os seus ofícios como têm agora.

Portanto, todos os nossos pregadores devem fazer questão de pregar a perfeição aos crentes de modo constante, forte e explícito, e todos os crentes devem concentrar-se nela e persegui-la a todo custo.

27 Terminei agora a tarefa à qual me propus. Redigi uma explicação clara e simples da forma como primeiramente compreendi e adotei a doutrina da perfeição, e o sentido que a ela atribuí e atribuo, e a forma como a ensino, até hoje. Declarei no todo e em detalhes o que entendo por essa expressão bíblica. Esbocei o seu quadro em amplas pinceladas, sem disfarçar ou encobrir. E agora pergunto a qualquer pessoa imparcial: o que há de tão assustador nela? De onde vem todo o clamor que, por mais de vinte anos, espalhou-se pelo reino, como se toda a cristandade fosse destruída e toda a religião,

---

[53] Do hino "To the Haven of The Breast", de John e Charles Wesley. (N. da T.)

arrancada pela raiz? Por que é que o mero nome "perfeição" foi banido da boca dos cristãos; sim, condenado e abominado, como se contivesse a mais perniciosa das heresias? Por que os que a pregavam foram tratados aos gritos como cachorros loucos, até por pessoas que temem a Deus, ou, pior ainda, por alguns dos filhos que eles, com a graça de Deus, geraram por meio do evangelho? Qual a razão para isso, ou qual o pretexto? Razão, razão sólida, não existe. É impossível que exista. Mas pretextos existem, e em grande quantidade. De fato, há motivo para se temer que, com alguns que nos ameaçam assim, tudo seja mero pretexto. Que não seja mais do que uma dissimulação, do início ao fim. Queriam, procuraram ocasião para me atacar, e aqui encontraram o que buscavam. "Esta é a doutrina do sr. Wesley! Ele prega a perfeição!" Ele o faz; no entanto, essa não é doutrina do sr. Wesley tanto quanto não é vossa, nem de mais ninguém que seja ministro de Cristo. Porque essa é a doutrina de Jesus Cristo, específica e enfaticamente. Estas são as palavras de Cristo, não as minhas: *Esesthe oun teleioi, hosper ho pater hymon ho en tois ouranois teleios esti* — "Portanto, sede vós perfeitos como perfeito é o vosso Pai celeste" (Mt 5.48). E quem é que diz que não seremos, ou, pelo menos, não até que a alma seja separada do corpo? A perfeição cristã é a doutrina de São Paulo, a doutrina de São Tiago, de São Pedro e São João; e não só do sr. Wesley, mas de todos os que pregam o evangelho puro e íntegro. Digo-vos, do modo mais claro possível, onde e quando descobri isso. Descobri-o nos oráculos de Deus, no Antigo e Novo Testamento, quando os li sem outra intenção ou desejo além daquele de salvar minha própria alma. Mas, seja de quem for essa doutrina, pergunto-vos: que mal há nela? Estudai-a novamente; examinai-a sob todos os ângulos e com a maior atenção. Em uma perspectiva, é pureza de intenção, é dedicar toda a vida a

Deus. É dar a Deus todo o nosso coração; é um desejo e propósito governando todas as nossas disposições. É devotar, não uma parte, mas toda a alma, corpo e bens materiais a Deus. Em outra perspectiva, é a mesma mente de Cristo, que nos permite andar como Cristo andou. É a circuncisão do coração de toda a corrupção, tanto as impurezas internas quanto as externas. É a renovação do coração na completa imagem de Deus, a plena semelhança com aquele que nos criou. Em ainda outra perspectiva, é amar a Deus de todo o coração e ao próximo como a nós mesmos. Pois bem, escolhei a perspectiva que preferirdes (pois não existe diferença material) e essa será a completa e única perfeição, como comprova uma longa lista de textos, em que acreditei e que ensinei durante esses quarenta anos, do ano de 1725 até o ano de 1765.

28 Deixemos a doutrina da perfeição aparecer em sua forma original, e quem poderá objetar contra ela? Será que alguém ousará falar contra amar ao Senhor, nosso Deus, de todo o coração e ao próximo como a nós mesmos? Contra a renovação do coração, não apenas em parte, mas na imagem completa de Deus? Quem ousará ser contra a purificação de todas as impurezas, tanto da carne quanto do espírito; ou contra ter o mesmo sentimento que houve em Cristo e andar como Cristo andou? Que pessoa que se diga cristã tem o atrevimento de objetar contra devotar, não uma parte, mas toda a nossa alma, corpo e bens a Deus? Que pessoa séria se oporia a dar a Deus todo coração, e a ter um propósito governando todas as nossas ações? Repito: deixemos a doutrina da perfeição aparecer tal como é, e quem lutará contra ela? É preciso falsificá-la antes que alguém se oponha a ela. É preciso cobri-la com pele de urso primeiro, ou nem mesmo as pessoas mais bestiais se convenceriam a combatê-la. Mas, não importa o que façam essas pessoas bestiais, que os filhos de Deus não continuem lutando contra a imagem de Deus. Que os membros de Cristo não digam nada contra ter o mesmo sentimento que houve em Cristo. Que aqueles que estão vivos em Deus não se oponham a dedicar toda a vida a ele. Por que vós que tendes o amor divino derramado no coração resistis a lhe dar todo o coração? Tudo o que há no vosso íntimo não clama: "Oh, aquele que ama, pode amar o suficiente"?[54] É lastimável que aqueles que desejam e planejam agradá-lo tenham algum outro plano ou desejo! Mais ainda, que temam, como um engano fatal, sim, que odeiem como uma abominação a Deus, ter esse único desejo e plano governando suas ações! Por que pessoas devotas teriam medo de devotar toda a alma, corpo e bens a Deus? Por que aqueles que amam a Cristo considerariam um erro condenável pensar que podemos ter todos os sentimentos que houve nele? Admitimos, e até mesmo sustentamos, que somos justificados livremente por meio da justiça e do sangue de Cristo. E por que ficais tão furiosos conosco porque esperamos, da mesma forma, ser totalmente santificados por meio de seu Espírito? Não esperamos favor dos servidores confessos do pecado, nem daqueles que seguem a religião apenas formalmente. Mas quanto tempo vós, que adorais a Deus em espírito, que sois "circuncidados, não por intermédio de mãos" (Cl 2.11), ireis cerrar fileiras contra aqueles que buscam a completa circuncisão do coração, que anseiam ser purificados "de toda impureza, tanto da carne como do espírito, aperfeiçoando a santidade no temor de Deus" (2Co 7.1)? Será que somos vossos inimigos porque buscamos a plena libertação daquele "pendor da carne" que "é inimizade contra Deus" (Rm 8.7)? Ao contrário, somos vossos irmãos, vossos colegas trabalhadores na vinha do

---

[54] Último verso da tradução feita por Anthony Wilhelm Boehm do hino "Of Him Who Did Salvation Bring", de Bernardo de Claraval. (N. da T.)

Senhor, vossos companheiros no reino e na perseverança em Jesus (Ap 1.9). Embora, confessamos (se somos tolos por isso, tolerai nossa tolice), o que desejamos é amar a Deus de todo o coração e ao próximo como a nós mesmos. Verdade: acreditamos que ele, neste mundo, purificará "nossos corações e pensamentos com a inspiração do seu Espírito Santo, para que o amemos com perfeição e dignamente glorifiquemos o seu santo Nome" (LOC).

* * *

Breves pensamentos sobre a perfeição cristã

Alguns pensamentos vieram-me à mente esta manhã com respeito à perfeição cristã, e o modo e tempo de recebê-la, que, acredito, será útil registrar.

1. Com o termo "perfeição", refiro-me ao amor humilde, gentil e paciente a Deus e ao próximo governando nossas atitudes, palavras e ações.

Não digo que seja impossível perder essa perfeição, em parte ou totalmente. Portanto, retrato-me de várias enunciações em nossos hinos que em parte expressam, em parte implicam tal impossibilidade.

E não defendo a expressão "sem pecado", embora não lhe faça objeções.

2. Quanto ao modo, acredito que essa perfeição é sempre produzida na alma por um simples ato de fé; em consequência, em um instante. Mas acredito em uma obra gradual, tanto precedendo quanto se seguindo a esse instante.

3. Quanto ao tempo, creio que esse instante geralmente é o instante da morte, o momento logo antes de a alma abandonar o corpo. Mas creio que também possa ocorrer dez, vinte ou quarenta anos antes.

Creio que geralmente acontece muitos anos depois da justificação, mas que possa ocorrer dentro de cinco anos ou cinco meses depois dela. Não conheço argumentos conclusivos do contrário.

Se deve acontecer muitos anos depois da justificação, eu gostaria de saber quantos. *Pretium quotus arroget annus?*[55] E quantos dias ou meses, ou mesmo anos, podem existir entre a perfeição e a morte? Quão distante deve ser da justificação e quão próxima da morte?

Londres, 27 de janeiro de 1767

---

[55] Citação de Horácio em latim que pode ser traduzida por "Quantos anos seriam necessários para dar valor a um poema?". (N. da T.)

Sermão 40

A perfeição cristã

Não que eu o tenha já recebido ou tenha já obtido a perfeição.
Filipenses 3.12

1 Poucas expressões nas Santas Escrituras causaram mais escândalo do que essa. A palavra "perfeição" é o que muitos não conseguem suportar. O mero som dela é uma abominação para eles. E todos os que "pregam a perfeição" (como se costuma dizer), ou seja, os que afirmam que ela é alcançável nesta vida, correm grande risco de serem considerados por eles piores do que um gentio ou publicano.

2 E por isso alguns aconselharam que se deixasse completamente de lado o uso dessas expressões, "porque elas têm causado grande escândalo". Mas elas não estão nos oráculos de Deus? Se estão, quem dá autoridade a qualquer mensageiro de Deus para deixá-las de lado, ainda que todas as pessoas se sintam ofendidas? Não foi assim que aprendemos de Cristo, nem devemos dar lugar ao diabo. Tudo o que Deus tenha falado, nós falaremos, quer as pessoas ouçam, quer deixem de ouvir; sabendo que só então algum ministro de Cristo pode estar "limpo do sangue de todos", quando não tiver deixado de nos "anunciar todo o desígnio de Deus" (At 20.26-27).

3 Em consequência, não podemos deixar essas expressões de lado, porque elas são as palavras de Deus, e não da humanidade. Mas podemos e devemos explicar o seu significado, a fim de que os sinceros de coração não se desviem para a direita ou para a esquerda do alvo do prêmio de sua "soberana vocação" (Fp 3.14). E isso é o que é mais necessário fazer, porque, no versículo já repetido, o apóstolo fala de si mesmo como não perfeito: "Não", diz ele, "que eu tenha já obtido a perfeição". E, no entanto, logo depois, no versículo 15, ele fala de si mesmo e de muitos outros como perfeitos: "Todos, pois, que somos perfeitos, tenhamos este sentimento" (Fp 3.15).

4 Portanto, para remover a dificuldade surgida com essa aparente contradição, assim como para esclarecer aqueles que estão se esforçando por atingir o alvo e "para que não se extravie o que é manco" (Hb 12.13), procurarei mostrar:

I. Primeiro, em que sentido os cristãos não são perfeitos;

II. Segundo, em que sentido eles o são.

I

1 Em primeiro lugar, tentarei mostrar em que sentido os cristãos não são perfeitos. Tanto a partir da experiência quanto das Escrituras, verifica-se, primeiro, que eles não são perfeitos em conhecimento: não são perfeitos nesta vida a ponto de serem isentos de ignorância. Sabem, possivelmente, em comum com outros seres humanos, muitas coisas relacionadas ao mundo atual, e sabem, em relação ao mundo vindouro, as verdades gerais que Deus lhes revelou. Sabem, da mesma forma (o que o ser humano carnal não percebe, pois essas coisas são discernidas espiritualmente), "que grande amor" é aquele com o qual "o Pai" os amou, a ponto de serem "chamados filhos de Deus" (1Jo 3.1). Conhecem o poder do Espírito operando em seu coração (Ef 3.16) e a sabedoria de sua providência, endireitando todas as suas veredas (Pv 3.6) e fazendo que todas as coisas cooperem para o seu bem (Rm 8.28). Sim, sabem em cada circunstância da vida o que o Senhor exigiu deles e como manter a consciência limpa de ofensas tanto a Deus quanto ao próximo (At 24.16).

2 Entretanto, são inumeráveis as coisas que não sabem. Em relação ao Todo-poderoso, não conseguem compreendê-lo perfeitamente. "Eis que isto são apenas as orlas dos seus caminhos! [...] Mas o trovão do seu poder, quem o entenderá?" (Jó 26.14). Não entendem já nem digo como "há três que dão testemunho no céu: o Pai, a Palavra e o Espírito Santo; e estes três são um" (1Jo 5.7), ou como o Filho de Deus eterno assumiu "a forma de servo" (Fp 2.7), mas qualquer atributo, qualquer circunstância da natureza divina (2Pe 1.4). Nem lhes compete conhecer os tempos ou épocas (At 1.7) quando Deus irá efetuar grandes obras sobre a terra; não, nem mesmo aquelas que ele revelou em parte por meio de seus servos e profetas desde o princípio do mundo (Am 3.7). Muito menos sabem quando Deus, tendo preenchido o número de seus eleitos, apressará a vinda de seu reino (Mc 13.20), quando "os céus passarão com estrepitoso estrondo, e os elementos se desfarão abrasados" (2Pe 3.10).

3 Não sabem sequer as razões de muitas das dispensações atuais acerca dos filhos dos homens, mas são forçados a parar neste ponto: "nuvens e escuridão o rodeiam, justiça e juízo são a base do seu trono" (Sl 97.2). Muitas vezes, sobre seu procedimento para com eles, o Senhor lhes diz: "O que eu faço não o sabes agora; compreendê-lo-ás depois" (Jo 13.7). E quão pouco sabem do que está diante deles, até mesmo das obras visíveis de suas mãos! Como "ele estende o norte sobre o vazio e faz pairar a terra sobre o nada" (Jó 26.7)? Como ele une todas as partes desta vasta máquina por uma corrente secreta, que não pode ser rompida? Tão grande é a ignorância, tão pequeno o conhecimento, mesmo das melhores pessoas!

4 Ninguém, então, é tão perfeito nesta vida a ponto de estar livre da ignorância. Nem, em segundo lugar, do erro, que, de fato, é uma consequência quase inevitável dela, já que aqueles que "conhecem em parte" (1Co 13.12) são suscetíveis de se enganar ao lidar com o que desconhecem. É verdade que os filhos de Deus não erram quanto ao que é essencial para a salvação: não "fazem da escuridade luz e da luz, escuridade" (Is 5.20), nem "procuram a morte com uma vida extraviada" (Sb 1.12, BJ). Pois eles são "ensinados por Deus" (Jo 6.45), e o caminho que ele lhes ensina, o caminho da santidade, é tão claro que "quem quer que por ele caminhe não errará, nem mesmo o louco" (Is 35.8). Mas naquilo que não é essencial para a salvação eles erram, e com bastante frequência. Os melhores e mais sábios muitas vezes se enganam até mesmo a respeito de fatos, acreditando que coisas que realmente aconteceram não aconteceram, ou que aconteceram quando não aconteceram. Ou, supondo-se que não se enganem quanto aos fatos em si, podem se enganar em relação às circunstâncias em que ocorreram, acreditando que elas, ou muitas delas, foram bem diferentes do que realmente foram. E em decorrência disso é evidente que surgem muitos outros erros. Assim, eles podem acreditar que ações passadas ou presentes, que foram ou são más, sejam boas; e que sejam más as ações que foram ou são boas. Da mesma forma, podem julgar o caráter das pessoas não de acordo com a verdade, não apenas supondo que pessoas boas sejam melhores ou que pessoas más sejam piores do que são, mas acreditando que sejam boas pessoas que eram ou são muito más, ou talvez acreditando que tenham sido ou sejam más pessoas que eram ou são santas e irrepreensíveis.

5 Ainda mais: em relação à própria Sagrada Escritura, por mais cuidado que tenham para evitá-lo, as melhores pessoas estão sujeitas a errar, e erram dia após dia, principalmente em relação àquelas passagens que se relacionam menos imediatamente com a prática. Por conseguinte, nem mesmo os filhos de Deus concordam quanto à interpretação de muitas passagens das Escrituras. Essas diferenças de opinião não provam que os de um lado ou de outro não sejam filhos de Deus; provam, isto sim, que não devemos esperar que qualquer pessoa viva seja infalível, assim como não esperamos que seja onisciente.

6 Caso alguém objete, quanto ao que foi observado neste ponto e no precedente, que São João, falando a seus irmãos na fé, disse: "E vós possuís unção que vem do Santo e todos tendes conhecimento" (1Jo 2.20), a resposta é clara: Sabeis tudo o que é necessário para a saúde de vossa alma (3Jo 1.2). Que o apóstolo jamais implicou algo além disso, que não estava falando em sentido absoluto, é claro. Em primeiro lugar porque, de outro modo, ele estaria descrevendo o discípulo como "mais do que o mestre", já que o próprio Cristo, enquanto homem, não conhecia todas as coisas: "Da hora", ele disse, "ninguém sabe; nem os anjos no céu, nem o Filho, senão o Pai" (Mc 13.32). Em segundo lugar, a questão é esclarecida pelas próprias palavras do apóstolo que se seguem: "Isto que vos acabo de escrever é acerca dos que vos procuram enganar" (1Jo 2.26). Além disso, pelo aviso repetido frequentemente, "Vede que ninguém vos engane" (Mc 13.5; Ef 5.6; 2Ts 2.3), que teria sido desnecessário se as próprias pessoas que haviam recebido a unção do Santo (1Jo 2.20) não estivessem sujeitas, não só à ignorância, mas também ao erro.

7 Portanto, nem mesmo os cristãos são tão perfeitos a ponto de estarem livres de ignorância ou erro. Podemos acrescentar, em terceiro lugar, nem de fraquezas. Cuidemos de entender bem essa palavra: não empreguemos essa designação branda para descrever pecados conhecidos, como é costume de alguns. Assim, alguém nos diz: "Todos têm sua fraqueza; a minha é a bebida". A fraqueza de outro é a impureza; a de outro ainda, tomar o santo nome de Deus em vão; a de mais outro, chamar a seu irmão de "tolo" (Mt 5.22) ou retribuir "injúria por injúria" (1Pe 3.9). É claro que todos os que assim falam, se não se arrependerem, irão, com suas fraquezas, rapidamente para o inferno! Porém com esse termo me refiro não apenas àquelas que são propriamente chamadas de "fraquezas corporais", mas a todas as imperfeições internas ou externas que não são de natureza moral. Exemplos disso são a fraqueza ou lentidão de entendimento, estupidez ou confusão de compreensão, incoerência de pensamento, sagacidade irregular ou morosidade da imaginação. Assim também (para não mencionar outros exemplos desse tipo) a falta de memória imediata ou retentiva. De outro tipo são aquelas que, em certa medida, são consequência das primeiras; a saber, lentidão do discurso, impropriedade de linguagem e pronúncia deselegante, às quais poderíamos acrescentar milhares de defeitos sem nome, seja na conversa, seja no comportamento. Essas fraquezas são encontradas mesmo nas melhores pessoas, em maior ou menor proporção. E dessas ninguém pode esperar estar completamente livre até que o espírito retorne a Deus, que o deu (Ec 12.7).

8 Nem podemos esperar, até então, estarmos completamente livres da tentação. Tal perfeição não existe nesta vida. É verdade que existem aqueles que cometem, com avidez, "toda sorte de impureza" (Ef 4.19), raramente percebendo as tentações a que não resistem, e assim parecem não ter tentações. Há também muitos a quem o astucioso inimigo das almas não tentará a graves pecados, pois, vendo que estão profundamente adormecidos em um tipo de piedade morta, receia que despertem antes de caírem no fogo eterno. Sei que há também filhos de Deus que, tendo sido agora justificados gratuitamente (Rm 5.1), tendo encontrado a redenção no sangue de Cristo (Ef 1.7), atualmente não experimentam a tentação. Deus disse a seus inimigos: "Não toqueis nos meus ungidos, nem maltrateis os meus filhos" (1Cr 16.22). E, nesse período, que pode ser de semanas ou meses, ele os fez "cavalgar sobre os altos da terra" (Dt 32.13), ele os levou "sobre asas de águia" (Êx 19.4) acima de "todos os dardos inflamados do Maligno" (Ef 6.16). Mas esse estado não durará para sempre, como podemos depreender desta única consideração: de que o Filho de Deus ele mesmo, nos dias da sua carne (Hb 5.7), foi tentado até o fim da vida (Hb 2.18; 4.15; 6.7). Portanto, o servo também deve esperar passar por isso, pois "será como o seu mestre" (Lc 6.40).

9 Assim, a perfeição cristã não implica (como algumas pessoas parecem ter imaginado) uma isenção da ignorância, do erro, das fraquezas ou das tentações. Na verdade, é apenas outro termo para a santidade. São dois nomes para a mesma coisa. Desse modo, todo o que é perfeito é santo, e todo o que é santo é, em sentido bíblico, perfeito. Entretanto, podemos, finalmente, observar que nem nesse sentido há perfeição absoluta na terra. Não existe grau de perfeição máxima, como se diz; nenhum que não admita crescimento contínuo. De maneira que, por mais que uma pessoa tenha ascendido, ou por mais alto grau de perfeição que tenha atingido, ela ainda precisa "crescer na graça" (2Pe 3.18) e avançar diariamente no conhecimento e amor a Deus, seu Salvador (Fp 1.9).

II

1 Em que sentido, então, os cristãos são perfeitos? É isso o que pretendo, em segundo lugar, mostrar. Mas devemos tomar como premissa que há diversos estágios na vida cristã, assim como na vida natural; alguns dos filhos de Deus não passam de bebês recém-nascidos; outros já alcançaram mais maturidade. E, assim sendo, São João, em sua primeira epístola, dirige-se em separado àqueles a quem chama de "filhinhos", àqueles a quem denomina "jovens" e àqueles a quem intitula "pais". "Filhinhos, eu vos escrevo, porque os vossos pecados são perdoados" (1Jo 2.12), escreve o apóstolo. Porque avançastes até o ponto de serdes "justificados, mediante a fé" e terdes "paz com Deus por meio de nosso Senhor Jesus Cristo" (Rm 5.1). "Jovens, eu vos escrevo, porque tendes vencido o Maligno" (1Jo 2.12), ou (como ele acrescenta em seguida) "porque sois fortes, e a palavra de Deus permanece em vós" (1Jo 2.13-14). Apagastes todos os dardos inflamados do Maligno (Ef 6.16), as dúvidas e medos com os quais ele perturbava a vossa paz inicial. E o testemunho de Deus, de que vossos pecados foram perdoados, agora permanece em vosso coração. "Pais, eu vos escrevo, porque conheceis aquele que existe desde o princípio" (1Jo 2.13). Conhecestes tanto o Pai quanto o Filho e o Espírito de Cristo, no íntimo de vossa alma. Chegastes "à perfeita varonilidade, à medida da estatura da plenitude de Cristo" (Ef 4.13).

2 É desses, principalmente, que falo na última parte deste discurso. Pois apenas esses são propriamente cristãos. Entretanto, até mesmo os recém-nascidos em Cristo são, nesse sentido, perfeitos, ou nascidos de Deus (uma expressão também usada em vários sentidos), pelo fato de, em primeiro lugar, não cometerem pecado. Se alguém duvida desse privilégio dos filhos de Deus, a questão não deve ser decidida por meio de raciocínios abstratos, que podem ser prolongados indefinidamente e deixar a discussão no mesmo ponto em que estava antes. Tampouco deve ser resolvida pela experiência desta ou daquela pessoa em particular. Muitos supõem que não cometem pecado, quando, na verdade, cometem, mas isso não prova nada em sentido algum. Devemos apelar à lei e ao testemunho. "Seja Deus verdadeiro, e mentiroso, todo homem" (Rm 3.4). Permaneçamos em sua Palavra, e só nela. Por ela seremos julgados.

3 Ora, a Palavra de Deus proclama claramente que mesmo aqueles que são justificados, que renasceram no sentido mais básico, não "permanecem no pecado"; que não podem mais viver no pecado porque "morreram para ele" (Rm 6.1-2); que foram "unidos com Cristo na semelhança da sua morte" (Rm 6.5); que o seu "velho homem" foi "crucificado com ele", sendo o corpo pecador destruído, para que, a partir de então, não sirvam ao pecado, pois, tendo sido mortos com Cristo, estão livres do pecado (Rm 6.6-7); que estão "mortos para o pecado, mas vivos para Deus" (Rm 6.11); que "o pecado não terá domínio sobre eles", pois não estão "debaixo da lei, e sim da graça", mas que, "uma vez libertados do pecado", foram "feitos servos da justiça" (Rm 6.14,18).

4 O mínimo que essas palavras podem implicar é que as pessoas aqui referidas, a saber, todos os verdadeiros cristãos, ou crentes em Cristo, foram libertos do pecado externo. E a mesma liberdade, que São Paulo expressa aqui em grande variedade de frases, São Pedro expressa nesta: "aquele que sofreu na carne deixou o pecado, para que [...] já não vivais de acordo com as paixões dos homens, mas segundo a vontade de Deus" (1Pe 4.1-2). Pois esse deixar de pecar, se interpretado no sentido mais básico, como se referindo apenas ao comportamento externo, deve denotar a cessação do ato externo, de qualquer transgressão externa da lei.

5 Porém mais explícitas são as célebres palavras de São João, no terceiro capítulo da primeira epístola, versículo 8 e seguintes:

> Quem comete o pecado é do diabo, porque o diabo peca desde o princípio. Para isto o Filho de Deus se manifestou: para desfazer as obras do diabo. Qualquer que é nascido de Deus não comete pecado; porque a sua semente permanece nele; e não pode pecar, porque é nascido de Deus.
>
> 1João 3.8-9, RC

E no capítulo 5: "Sabemos que todo aquele que é nascido de Deus não peca; mas o que de Deus é gerado conserva-se a si mesmo, e o maligno não lhe toca" (1Jo 5.18, RC).

6 Na verdade, diz-se, isso significa apenas que ele não peca intencionalmente, ou não comete pecados habitualmente, ou não como fazem as outras pessoas, ou não como fazia antes. Mas por quem isso é dito? Por São João? Não. Não há tais palavras no texto, nem em todo o capítulo, nem em toda a epístola, nem em qualquer parte de seus escritos. Ora, acontece que a melhor forma de responder a uma afirmação atrevida é simplesmente negá-la. E se alguém conseguir prová-lo a partir da Palavra de Deus, que apresente suas fortes razões.

7 E existe uma espécie de argumento que é frequentemente empregado em defesa dessas estranhas afirmações, extraído de exemplos registrados na Palavra de Deus: "Como assim!", exclamam eles, "o próprio Abraão não cometeu pecado, prevaricando e negando sua esposa? Moisés não cometeu pecado, quando provocou a Deus nas águas da contradição? E, para apresentar um exemplo definitivo, mesmo Davi, o homem segundo o coração de Deus (1Sm 13.14), não cometeu pecado, no caso de Urias, o hitita, até mesmo assassinato e adultério?" Com certeza. Tudo isso é verdade. Mas o que se deve inferir a partir disso? É preciso admitir, em primeiro lugar, que Davi, no curso geral de sua vida, foi um dos homens mais santos entre os judeus; em segundo lugar, que os mais santos entre os judeus às vezes cometiam pecados. Mas se quereis inferir disso que todos os cristãos cometem e devem cometer pecado enquanto viverem, negaremos peremptoriamente essa consequência: ela jamais se seguirá dessas premissas.

8 Os que defendem essa ideia parecem nunca ter considerado esta declaração de nosso Senhor: "Em verdade vos digo: entre os nascidos de mulher, ninguém apareceu maior do que João Batista; mas o menor no reino dos céus é maior do que ele" (Mt 11.11). Receio, de fato, que existam alguns que imaginaram que "o reino dos céus" aqui significa o reino da glória; como se o Filho de Deus houvesse acabado de nos revelar que o santo menos glorificado nos céus é maior do que qualquer pessoa na face da terra! Basta mencionar essa ideia para refutá-la. Não pode, portanto, haver nenhuma dúvida de que "o reino dos céus", aqui (assim como no versículo seguinte, Mateus 11.12, onde se diz que ele é tomado à força), ou "o reino de Deus", como São Lucas a ele se refere, é aquele reino de Deus na terra ao qual pertencem todos os verdadeiros crentes em Cristo, todos os verdadeiros cristãos. Nessas palavras, então, nosso Senhor faz duas declarações: a primeira é que, antes de sua vinda em carne, entre todos os mortais não havia nenhum maior do que João Batista; de onde se segue, evidentemente, que nem Abraão, nem Davi, nem qualquer judeu foi maior do que João. A segunda declaração de nosso Senhor é que aquele que é o menor no reino de Deus (naquele reino que ele veio estabelecer na terra, e que os violentos agora começavam a tomar à força) é maior do que João. Não maior profeta, como alguns têm interpretado a palavra, pois isso é, de fato, evidentemente falso; mas maior na graça de Deus e no conhecimento de nosso Senhor Jesus Cristo. Logo, não podemos medir os privilégios dos verdadeiros cristãos por aqueles anteriormente dados aos judeus. Concordamos que o "ministério" (ou dispensação) deles "foi glória", mas a nossa "foi glória, em muito maior proporção" (2Co 3.7-9). De modo que, todo o que pretender rebaixar a dispensação cristã ao padrão judaico, todo o que recolhe exemplos de fraqueza registrados na Lei e nos Profetas e, assim, infere que aqueles que "de Cristo se revestiram" (Gl 3.27) não são dotados de maior força, cometem um grande erro, "não conhecendo as Escrituras nem o poder de Deus" (Mt 22.29).

9 "Mesmo que esses exemplos não constituam uma prova, não há declarações nas Escrituras que provam a mesma coisa? As Escrituras não dizem expressamente: 'mesmo o homem justo peca sete vezes por dia'?" Respondo: não, as Escrituras não dizem isso. Não existe uma afirmação como essa em toda a Bíblia. A passagem que talvez se esteja tentando citar é Provérbios 24.16, cujas palavras são as seguintes: "sete vezes cairá o justo e se levantará". Mas isso é bem diferente. Primeiro, porque as palavras "por dia" não estão no texto. De tal forma que, se um homem justo cai sete vezes na vida, isso corresponderá ao que foi afirmado aqui. Segundo, porque não há nenhuma menção a cair em pecado. A referência aqui é a cair em aflição temporal. Isso é mostrado com clareza no versículo anterior, cujas palavras são: "Não te ponhas de emboscada, ó perverso, contra a habitação do justo, nem assoles o lugar do seu repouso" (Pv 24.15). A seguir: "porque sete vezes cairá o justo e se levantará; mas os perversos são derribados pela calamidade". Como se ele houvesse dito: "Deus libertará o justo de suas inquietações, mas, quando caires, não haverá ninguém para te libertar".

10 "Entretanto, em outras passagens", prosseguem os objetores, "Salomão afirma claramente: 'não há homem que não peque' (1Rs 8.46; 2Cr 6.36), assim como: 'Não há homem justo sobre a terra que faça o bem e que não peque' (Ec 7.20)." Respondo: sem dúvida era assim era nos dias de Salomão. Sim, assim foi de Adão a Moisés, de Moisés a Salomão e de Salomão a Cristo. Naquela época, não havia quem não pecasse. Desde o dia em que o pecado entrou no mundo, não houve nenhuma pessoa justa na face da terra que fizesse o bem e não pecasse, até que o Filho de Deus se manifestou e tirou nossos pecados.

É inquestionavelmente verdade que "o herdeiro é menor, em nada difere de escravo" (Gl 4.1). E que eles (todos os santos de outrora, que viveram sob a dispensação judaica) estavam, durante essa fase nascente da Igreja, "servilmente sujeitos aos rudimentos do mundo" (Gl 4.3). "Vindo, porém, a plenitude do tempo, Deus enviou seu Filho [...], nascido sob a lei, para resgatar os que estavam sob a lei, a fim de que recebêssemos a adoção de filhos" (Gl 4.4-5), para que pudessem receber aquela graça "manifestada, agora, pelo aparecimento de nosso Salvador Cristo Jesus, o qual não só destruiu a morte, como trouxe à luz a vida e a imortalidade, mediante o evangelho" (2Tm 1.9-10). Em consequência, agora eles não são mais "escravos, porém filhos" (Gl 4.7). Dessa forma, qualquer que fosse o caso daqueles sob a lei, podemos afirmar seguramente, com São João, que, desde o advento do evangelho, "todo aquele que é nascido de Deus não peca" (1Jo 5.18, RC).

11 É de grande importância observar, e com um cuidado maior do que o habitual, a vasta diferença que existe entre a dispensação judaica e a cristã, e o fundamento dessa diferença que o mesmo apóstolo destaca no sétimo capítulo de seu Evangelho (Jo 7.38ss). Após relatar as palavras de nosso bendito Senhor, "Quem crer em mim, como diz a Escritura, do seu interior fluirão rios de água viva", ele imediatamente acrescenta: "Isto ele disse com respeito ao Espírito", *ou emellon lambanein hoi pisteuontes eis auton* — "que haviam de receber os que nele cressem; pois o Espírito até aquele momento não fora dado, porque Jesus não havia sido ainda glorificado" (Jo 7.39). Ora, o apóstolo não pode querer dizer aqui (como alguns afirmam) que o poder do Espírito Santo de realizar milagres ainda não havia sido dado. Pois havia sido; nosso Senhor o dera a todos os apóstolos, quando os enviou para pregarem o evangelho. Ele então lhes deu autoridade sobre os espíritos imundos para que pudessem expulsá-los; poder de curar os doentes e até de ressuscitar os mortos (Mc 10.8). Mas o Espírito Santo ainda não havia sido dado em suas graças santificadoras como o foi depois que Jesus foi glorificado. Foi então, quando "subiu às alturas, levou cativo o cativeiro", que ele "concedeu dons aos homens" (Ef 4.8), sim, "até mesmo rebeldes, para que o SENHOR Deus habitasse no meio deles" (Sl 68.18; cf. Ef 4.8). E quando o dia de Pentecostes se cumpriu plenamente (At 2.1), sucedeu que aqueles que "esperavam a promessa do Pai" (At 1.4) foram transformados em "mais do que vencedores" (Rm 8.37) sobre o pecado, por meio do Espírito Santo que lhes foi dado.

12 Que essa grande salvação do pecado não foi dada até que Jesus fosse glorificado é algo que São Pedro também testifica claramente, quando, falando de seus irmãos na carne, agora "obtendo o fim" de sua fé, "a salvação da alma", ele acrescenta: "Foi a respeito desta salvação que os profetas indagaram e inquiriram, os quais profetizaram acerca da graça", ou seja, da dispensação graciosa, "a vós outros destinada, investigando, atentamente, qual a ocasião ou quais as circunstâncias oportunas, indicadas pelo Espírito de Cristo, que neles estava, indicava, ao dar de antemão testemunho sobre os sofrimentos referentes a Cristo e sobre as glórias", a salvação gloriosa, "que os seguiriam" (1Pe 1.9-11). "Aos quais foi revelado que, não para si mesmos, mas para nós, eles ministravam estas coisas que agora vos foram anunciadas por aqueles que, pelo Espírito Santo enviado do céu, vos pregaram o evangelho" (1Pe 1.12, RC), ou seja, no dia de Pentecostes, e assim a todas as gerações, no coração de todos os verdadeiros crentes. Sobre esse alicerce, a graça que "está sendo trazida na revelação de Jesus Cristo" (1Pe 1.13), o apóstolo podia muito bem firmar aquela forte exortação: "Por isso, cingindo o vosso entendimento [...], segundo é santo aquele que vos chamou, tornai-vos santos também vós mesmos em todo o vosso procedimento" (1Pe 1.13-15).

13 Aqueles que tenham dado a devida consideração a tudo isso precisam admitir que os privilégios dos cristãos não devem, de modo algum, ser avaliados pelo que o Antigo Testamento registra sobre os que estavam sob a dispensação judaica, considerando que a plenitude dos tempos agora chegou, o Espírito Santo nos foi dado, a grande salvação de Deus foi concedida aos mortais pela revelação de Jesus Cristo. O reino dos céus agora foi estabelecido na terra; sobre isso, o Espírito de Deus declarou antigamente (tão longe está Davi de ser o padrão ou modelo da perfeição cristã): "o mais fraco dentre eles, naquele dia, será como Davi, e a casa de Davi será como Deus, como o Anjo do Senhor diante deles" (Zc 12.8).

14 Assim, se quereis provar que as palavras do apóstolo — "todo aquele que é nascido de Deus não peca" (1Jo 5.18, RC) — não devem ser entendidas de acordo com seu sentido claro, natural, óbvio, é no Novo Testamento que deveis encontrar provas, caso contrário seria como desferir golpes no ar (1Co 9.26). E a primeira prova que em geral se apresenta é extraída dos exemplos registrados no Novo Testamento. "Os próprios apóstolos cometeram pecados", dizem eles. "Mesmo os maiores dentre eles, Pedro e Paulo. São Paulo, pela áspera contenda com Barnabé (At 15.36-41); Pedro, por dissimulação em Antioquia (Gl 2.11)." Bem, supondo que tanto Pedro quanto Paulo tenham cometido pecado, o que deveríamos inferir a partir disso? Que todos os outros apóstolos cometeram pecado? Não há nem sombra de prova disso. Ou deveríamos inferir que todos os outros cristãos da era apostólica cometeram pecado? Cada vez pior: essa é uma inferência, seria de se imaginar, em que nenhuma pessoa sensata poderia sequer cogitar. Ou pretendeis argumentar da seguinte forma: "Se dois dos apóstolos cometeram pecado uma vez, então todos os outros cristãos, em todas as eras, cometem e devem cometer pecado enquanto viverem"? Ai, meu irmão! Uma criança de bom senso se envergonharia de semelhante raciocínio. Menos ainda poderíeis inferir, com qualquer tipo de argumento, que todas as pessoas devam cometer pecado. Não, que Deus nos livre de falar assim. Nenhuma necessidade de pecar foi imposta sobre eles; a graça de Deus lhes era, com certeza, suficiente. Assim como é suficiente para nós hoje em dia. Havia como escapar à tentação que recaiu sobre eles, como há para todas as almas diante de todas as tentações. De forma que, todo o que for tentado a cometer qualquer pecado, não precisa ceder, pois ninguém é tentado além das próprias forças (1Co 10.13).

15 "Mas São Paulo rogou ao Senhor três vezes, e mesmo assim não conseguiu escapar à tentação." Consideremos as próprias palavras dele traduzidas literalmente:

> [...] foi-me posto um espinho na carne, um anjo [ou mensageiro] de Satanás, para me esbofetear. [...] Por causa disto, três vezes pedi ao Senhor que o afastasse de mim. Então, ele me disse: A minha graça te basta, porque o poder se aperfeiçoa na fraqueza. De boa vontade, pois, mais me gloriarei nas fraquezas, para que sobre mim repouse o poder de Cristo. Pelo que sinto prazer nas fraquezas [...]. Porque, quando sou fraco, então, é que sou forte.
>
> 2Coríntios 12.7-10

16 Como essa passagem das Escrituras é um dos baluartes dos patronos do pecado, vale a pena analisá-la em detalhe. Observe-se, então, em primeiro lugar, que de forma alguma é dito que esse espinho, fosse ele o que fosse, tenha levado São Paulo a cometer o pecado, muito menos imposto a necessidade de que ele o fizesse. Em consequência, a partir dela jamais será provado que qualquer cristão precise cometer pecado. Em segundo lugar, os antigos Pais nos informam que se tratava de uma dor física: "uma violenta dor de cabeça", no relato de Tertuliano (*De Pudic* [A pudicícia]), com o qual tanto Crisóstomo quanto São Jerônimo concordam. São Cipriano (*De Mortalitate* [A mortalidade]) o expressa, de modo um pouco mais geral, nestes termos: *Carnis et corporis multa ac gravia tormenta* [Muitos e dolorosos tormentos da carne e do corpo]. Em terceiro lugar, concordam perfeitamente com isso as palavras do próprio apóstolo: "Um espinho na carne para me golpear, bater ou fustigar", "O poder se aperfeiçoa na fraqueza". Essa mesma palavra, "fraqueza", aparece não menos do que quatro vezes somente nesses dois versículos. Em quarto lugar, fosse o que fosse, não poderia ser pecado externo nem interno. Não poderiam ser conflitos internos nem expressões externas de orgulho, ira ou cobiça. Isso é evidente, fora de qualquer possibilidade de questionamento, pelas palavras que se seguem imediatamente: "mais me gloriarei nas fraquezas, para que sobre mim repouse o poder de Cristo" (2Co 12.9). Como assim? Ele se gloria no orgulho, na ira, na cobiça? Foi por meio dessas fraquezas que o poder de Cristo repousou sobre ele? E prossegue: "Pelo que sinto prazer nas fraquezas [...]. Porque, quando sou fraco, então, é que sou forte" (2Co 12.10), ou seja, quando sou fraco no corpo, então sou forte no espírito. Será que alguém ousará dizer: "Quando sou fraco por orgulho ou cobiça, então sou forte em espírito"? Convido todos que tendes a força de Cristo repousando sobre vós a relatar hoje se podeis gloriar-vos na ira, no orgulho ou na cobiça. Extraís prazer dessas deficiências? Essas fraquezas vos tornam mais fortes? Não vos lançaríeis no inferno, se fosse possível, para escapar delas? Julgai, então, por vós mesmos, se o apóstolo poderia gloriar-se e ter prazer com elas! Observe-se, por fim, que esse espinho foi dado a São Paulo mais de catorze anos antes que ele escrevesse essa epístola (2Co 12.2), que foi redigida vários anos antes que ele encerrasse seu ministério (At 20.24; 2Tm 4.7). De maneira que, depois disso, ele teve um longo caminho a percorrer, muitas batalhas a lutar, muitas vitórias a ganhar e grande aumento a receber em todos os dons de Deus e no conhecimento de Jesus Cristo. Portanto, a partir de qualquer fraqueza espiritual (se é que se tratava disso) que ele tenha sentido naquele tempo, não podemos, de modo algum, inferir que ele nunca tivesse se fortalecido; que Paulo, o idoso, o pai em Cristo, ainda sofresse das mesmas fraquezas; que ele não tenha atingido um estágio mais elevado até o dia de sua morte. De tudo isso, segue-se que esse exemplo de São Paulo é bastante alheio à questão em debate e não se contrapõe, de maneira alguma, à afirmação de São João: "todo aquele que é nascido de Deus não peca" (1Jo 5.18, RC).

17 "Mas São Tiago não contradiz isso diretamente? Suas palavras são: 'todos tropeçamos em muitas coisas' (Tg 3.2). E 'tropeçar' não é o mesmo que 'cometer pecado'?" Nessa passagem, admito que seja. Concordo que as pessoas de quem se está falando aqui cometeram pecado; sim, que todas elas cometeram muitos pecados. Mas de quem é que se está falando aqui? Ora, daqueles "muitos mestres" (Tg 3.1) ou professores que Deus não enviou (provavelmente os mesmos homens vãos que ensinavam aquela fé sem obras, que é tão veementemente condenada no capítulo 2, o capítulo anterior); não o próprio apóstolo, nem qualquer cristão de verdade. Que, ao conjugar o verbo na primeira pessoa do plural, "nós", empregando uma figura de linguagem comum em todos os outros textos bíblicos, o apóstolo não poderia estar incluindo a si mesmo nem a qualquer outro verdadeiro cristão, é evidente. Em primeiro lugar, pelo uso da mesma figura no versículo nove: "Com ela, bendizemos ao Senhor e Pai; também, com ela, amaldiçoamos os homens, feitos à semelhança de Deus. De uma só boca procede bênção e maldição" (Tg 3.9). Verdade; mas não da boca do apóstolo, nem de qualquer um que esteja em Cristo e seja nova criatura (2Co 5.17). Em segundo lugar, pelo versículo que precede imediatamente o texto, e que está evidentemente ligado a ele: "Meus irmãos, não vos torneis, muitos de vós, mestres", ou professores, "sabendo que havemos de receber maior juízo. Porque todos tropeçamos em muitas coisas" (Tg 3.1-2). "[Nós] tropeçamos!" Quem? Não os apóstolos nem os verdadeiros crentes, mas aqueles que sabem que iriam "receber maior juízo"; seriam julgados com mais rigor por causa de todos os erros cometidos. Mas isso não pode ser dito do próprio apóstolo, nem de qualquer um que siga em seus passos, já que "agora nenhuma condenação há para os que estão em Cristo Jesus, que não andam segundo a carne, mas segundo o espírito" (Rm 8.1, RC). Além disso, em terceiro lugar, o próprio versículo prova que "tropeçamos em muitas coisas" não pode ser dito nem de todas as pessoas, nem de todos os cristãos. Pois imediatamente se segue a menção a um homem que "não tropeçou em muitas coisas", como fazia aquele "nós" mencionado primeiro; de quem, portanto, supostamente se distingue, sendo chamado de "perfeito varão".

18 Assim, São Tiago se explica claramente e estabelece o significado de suas próprias palavras. No entanto, caso alguém ainda permaneça em dúvida, São João, que escreveu muitos anos depois de São Tiago, torna essa questão absolutamente fora de discussão com as claras afirmações citadas acima. Porém aqui pode surgir uma nova dificuldade: como conciliar São João consigo mesmo? Em determinada passagem, ele declara: "Qualquer que é nascido de Deus não comete pecado" (1Jo 3.9, RC), e novamente: "Sabemos que todo aquele que é nascido de Deus não peca" (1Jo 5.18, RC). Por outro lado, em outra passagem ele diz: "Se dissermos que não temos pecado nenhum, a nós mesmos nos enganamos, e a verdade não está em nós" (1Jo 1.8). E novamente: "Se dissermos que não temos cometido pecado, fazemo-lo mentiroso, e a sua palavra não está em nós" (1Jo 1.10).

19 Por maior que possa parecer inicialmente a dificuldade, ela desaparece se observarmos, em primeiro lugar, que o décimo versículo esclarece o sentido do oitavo: "Se dissermos que não temos pecado nenhum", no oitavo, é explicado por "Se dissermos que não temos cometido pecado", no décimo versículo. Em segundo lugar, que a questão que estamos considerando não é se pecamos ou não até agora; e nenhum desses versículos afirma que pecamos ou cometemos pecados agora. Em terceiro lugar, que o nono versículo explica tanto o oitavo quanto o décimo: "Se confessarmos os nossos pecados, ele é fiel e justo para nos perdoar os pecados e nos purificar de toda injustiça". É como se ele houvesse dito: "Já afirmei antes que 'o sangue de Cristo purifica-nos de todo pecado'. E ninguém pode dizer: 'Não preciso; não tenho pecado do qual deva ser purificado'. Se dissermos que 'não temos cometido pecado', ou 'não temos pecado nenhum', enganamos a nós mesmos e fazemos de Deus um mentiroso. Mas se confessamos os nossos pecados, ele é fiel e justo não só para nos perdoar os pecados, como também para nos purificar de toda injustiça (1Jo 1.8-10), para que possamos 'ir e não pecar mais' (Jo 8.11)".

20 São João, portanto, é bastante coerente consigo mesmo, assim como com outros autores bíblicos, o que ficará ainda mais evidente se colocarmos todas as suas afirmativas relativas ao assunto sob uma mesma perspectiva. Declara, em primeiro lugar, que o sangue de Jesus Cristo nos purifica de todos os pecados. Em segundo lugar, que ninguém pode dizer: "Não pequei, não tenho pecado do qual deva ser purificado". Em terceiro lugar, que, apesar disso, Deus está pronto tanto a perdoar nossos pecados passados quanto a nos redimir deles no futuro (1Jo 1.7-10). Em quarto lugar, o apóstolo diz: "estas coisas vos escrevo para que não pequeis. Se, todavia, alguém pecar", ou "pecou" (a palavra também poderia ter sido traduzida assim), não precisa continuar em pecado, pois "temos Advogado junto ao Pai, Jesus Cristo, o Justo" (1Jo 2.1-2). Até aqui, está claro. Mas, temendo que restasse alguma dúvida em um ponto de tão grande importância, o apóstolo retoma o assunto no terceiro capítulo e explica detalhadamente o que quis dizer. "Filhinhos", diz ele, "não vos engane" (caso alguém pense que encorajei de algum modo aqueles que continuam no pecado):

> Quem pratica justiça é justo, assim como ele é justo. Quem comete o pecado é do diabo, porque o diabo peca desde o princípio. Para isto o Filho de Deus se manifestou: para desfazer as obras do diabo. Qualquer que é nascido de Deus não comete pecado; porque a sua semente permanece nele; e não pode pecar, porque é nascido de Deus. Nisto são manifestos os filhos de Deus e os filhos do diabo.
>
> 1João 3.7-10, RC

Aqui a questão, que até então poderia causar alguma dúvida nas mentes fracas, é expressamente definida pelo último dos escritores inspirados e decidida da maneira mais clara. Assim, em conformidade tanto com a doutrina de São João quanto com todo o espírito do Novo Testamento, chegamos a esta conclusão: o cristão é tão perfeito que não comete pecados.

21 Este é o glorioso privilégio de todo cristão, sim, mesmo que ele seja apenas um recém-nascido em Cristo. No entanto, é apenas daqueles que estão "fortalecidos no Senhor" (Ef 6.10) e têm "vencido o Maligno", ou daqueles que "conhecem aquele que existe desde o princípio" (1Jo 2.13-14) que se pode afirmar que são, em tal sentido, perfeitos e, em segundo lugar, que estão livres dos maus pensamentos e das más inclinações. Primeiro, dos pensamentos maus ou pecaminosos. Mas aqui é preciso observar que pensamentos relativos ao mal não são sempre pensamentos maus; que um pensamento a respeito do pecado e um pensamento pecaminoso são extremamente diferentes. Uma pessoa pode, por exemplo, pensar no assassinato que outra cometeu, sem que tenha qualquer pensamento mau ou pecaminoso. Sem dúvida nosso bendito Senhor pensou nas palavras do diabo ou entendeu quando ele disse: "Tudo isto te darei se, prostrado, me adorares" (Mt 4.9). Apesar disso, ele não tinha nenhum pensamento mau ou pecaminoso; na verdade, não era sequer capaz de tê-los. Daí se segue que tampouco os verdadeiros cristãos possuem essa capacidade, pois "todo o que for perfeito será como o seu mestre" (Lc 6.40, RC). Assim, se ele era livre de pensamentos maus ou pecaminosos, eles também o são.

22 E, realmente, de onde viriam os pensamentos maus, no servo que é como seu Mestre? "De dentro, do coração dos homens, é que procedem os maus desígnios" (Mc 7.21). Portanto, se o coração deixa de ser mau, então não gera mais pensamentos maus. Se a árvore fosse corrupta, assim também seria o fruto. Mas a árvore é boa; o fruto, portanto, é bom também (Mt 12.33). Nosso Senhor mesmo testemunhou: "toda árvore boa produz bons frutos, porém a árvore má produz frutos maus. Não pode a árvore boa produzir frutos maus, nem a árvore má produzir frutos bons" (Mt 7.17-18).

23 O mesmo feliz privilégio dos verdadeiros cristãos, São Paulo afirma a partir de sua própria experiência: "as armas da nossa milícia não são carnais, e sim poderosas em Deus, para destruir fortalezas, anulando nós sofismas" (ou "raciocínios",

pois esse é o significado da palavra *logimous*; todos os raciocínios de orgulho e descrença contra as declarações, promessas ou dádivas de Deus) "e toda altivez que se levante contra o conhecimento de Deus, e levando cativo todo pensamento à obediência de Cristo" (2Co 10.4-6).

24 E, assim como os cristãos estão livres dos pensamentos maus, também o estão, em segundo lugar, das inclinações más. Isso é evidente a partir da declaração de nosso Senhor mencionada acima: "O discípulo não é superior a seu mestre, mas todo o que for perfeito será como o seu mestre" (Lc 6.40, RC). Ele acabava de expor uma das doutrinas mais sublimes do cristianismo e das mais dolorosas para a carne e o sangue. "Mas a vós, que ouvis, digo: Amai a vossos inimigos, fazei bem aos que vos aborrecem [...]. Ao que te ferir numa face, oferece-lhe também a outra" (Lc 6.27,29, RC). Ora, ele sabia que o mundo não receberia bem essas recomendações e, assim, imediatamente acrescentou: "Pode porventura o cego guiar o cego? não cairão ambos na cova?" (Lc 6.39). Como se houvesse dito: "Não consulteis a carne e o sangue em relação a essas coisas — ou seja, não consulteis pessoas desprovidas de discernimento espiritual, cujos olhos do entendimento Deus não abriu —, pois existe o risco de eles e vós perecerem juntos". No versículo seguinte ele remove as duas grandes objeções que aqueles sábios tolos nos lançam o tempo todo — "Essas coisas são difíceis demais de suportar" ou "Esse é um estágio elevado demais para ser atingido" — dizendo: "'O discípulo não é superior a seu mestre'; portanto, se eu sofri, contentai-vos em seguir meus passos. E não duvideis de que cumprirei minha palavra: 'todo o que for perfeito será como o seu mestre'" (Lc 6.40, RC). Mas seu Mestre era livre de todas as tendências pecaminosas. Assim, portanto, é o seu discípulo, e até mesmo todo verdadeiro cristão.

25 Todos podem dizer com São Paulo: "Estou crucificado com Cristo; logo, já não sou eu quem vive, mas Cristo vive em mim" (Gl 2.19-20), palavras que descrevem claramente uma libertação tanto do pecado interior quanto do exterior. Isso é expresso tanto negativamente, "já não sou eu quem vive" (minha natureza vil, o corpo pecaminoso, é destruído), quanto positivamente, "Cristo vive em mim", e portanto tudo o que é santo, justo e bom. De fato, essas duas afirmações, "Cristo vive em mim" e "já não sou eu quem vive", estão inseparavelmente ligadas; pois que comunhão existe entre Cristo e Belial (2Co 6.15)?

26 Assim, aquele que vive nos verdadeiros crentes "purificou-lhes pela fé o coração" (At 15.9) a tal ponto que todo o que tem "Cristo em si, a esperança da glória" (Cl 1.27) "a si mesmo se purifica [...], assim como ele é puro" (1Jo 3.3). Ele é purificado do orgulho, pois Cristo era humilde de coração (Mt 11.29). É purificado do desejo e da obstinação, pois Cristo desejava apenas fazer a vontade do Pai e completar a sua obra (Jo 4.34; 5.30). E é purificado da ira, no sentido comum da palavra, pois Cristo era manso e gentil, paciente e resignado. Digo "no sentido comum da palavra" porque nem toda ira é má. Lemos de nosso Senhor que ele mesmo, certa vez, olhou ao redor, com ira (Mc 3.5).[1] Mas com que tipo de ira? A palavra seguinte, *syllypoumenos*, esclarece que ele estava, ao mesmo tempo, "condoído com a dureza do seu coração" (Mc 3.6). Então ele sentia ira pelo pecado e, ao mesmo tempo, sofria pelos pecadores; ira ou descontentamento diante da infração, mas tristeza pelos infratores. Com ira, sim, ódio, ele olhou para a coisa; com tristeza e amor, para as pessoas. Vai, tu que és

---

[1] As traduções da Bíblia para o português geralmente usam a palavra "indignado" nessa passagem. No entanto, a palavra empregada por Wesley aqui, seguindo a versão autorizada do rei Jaime (*King James* 1611) e outras traduções inglesas, é *anger*, "ira, raiva". (N. da T.)

perfeito, e faz o mesmo. Ira-te e não peques (Ef 4.26); sentindo descontentamento diante de toda ofensa contra Deus, mas apenas amor e terna compaixão pelo pecador.

27 Assim Jesus "salvará o seu povo dos pecados" (Mt 1.21). E não apenas dos pecados externos, mas também dos pecados do coração; dos maus pensamentos e das más inclinações. "É verdade", dizem alguns, "que seremos salvos dos nossos pecados dessa forma, mas não antes da morte, não neste mundo." Porém, como conciliar isso com as palavras expressas de São João? "Nisto é em nós aperfeiçoado o amor, para que, no Dia do Juízo, mantenhamos confiança; pois, segundo ele é, também nós somos neste mundo" (1Jo 4.17). O apóstolo aqui, para além de toda contradição, fala de si mesmo e de outros cristãos vivos, de quem (como se houvesse previsto essa mesma evasiva e estivesse determinado a extirpá-la pela base) afirma categoricamente que, não apenas na morte ou depois dela, mas "neste mundo", eles são como seu Mestre (1Jo 4.17).

28 Perfeitamente adequadas a isso são suas palavras no primeiro capítulo dessa epístola: "Deus é luz, e não há nele treva nenhuma" (1Jo 1.5). E se "andarmos na luz, como ele está na luz, mantemos comunhão uns com os outros, e o sangue de Jesus, seu Filho, nos purifica de todo pecado" (1Jo 1.7). E novamente: "Se confessarmos os nossos pecados, ele é fiel e justo para nos perdoar os pecados e nos purificar de toda injustiça" (1Jo 1.9). Ora, é evidente que o apóstolo aqui fala de uma libertação produzida neste mundo. Pois ele não diz que o sangue de Cristo purificará na hora da morte ou no dia do julgamento, mas que "nos purifica" no tempo presente, a nós, cristãos viventes, "de todo pecado". E é igualmente evidente que, se algum pecado permanecer, não fomos purificados de *todo* pecado. Se qualquer injustiça permanecer na alma, ela não foi purificada de *toda* injustiça. Que ninguém que pecou contra a própria alma diga que isso se refere apenas à justificação, ou à purificação de toda a culpa do pecado. Em primeiro lugar, porque isso seria confundir dois temas que o apóstolo distingue claramente, pois menciona, primeiro, "nos perdoar os pecados" e, depois, "nos purificar de toda injustiça". Em segundo lugar, porque isso é afirmar a justificação pelas obras, no sentido mais extremo possível; é tornar toda santidade interna, assim como externa, necessariamente anterior à justificação. Pois se a purificação de que se fala aqui não é nada além da purificação da culpa advinda do pecado, então não somos purificados da culpa, ou seja, não somos justificados, a não ser sob a condição de vivermos "na luz, como Deus está na luz" (1Jo 1.7). Resta, então, que os cristãos são salvos neste mundo de todo pecado, de toda injustiça; que eles são agora, em tal sentido, perfeitos, a ponto de não cometerem pecado, de estarem livres de todos os maus pensamentos e más inclinações.

29 Assim o Senhor cumpre todas as promessas que fez por meio dos santos profetas, que existem desde o princípio do mundo. Por Moisés, em particular, que disse que circuncidaria "o teu coração e o coração de tua descendência, para amares o Senhor, teu Deus, de todo o coração e de toda a tua alma" (Dt 30.6); por Davi, que clamou: "Cria em mim, ó Deus, um coração puro e renova dentro de mim um espírito inabalável" (Sl 51.10), e, mais notadamente, por Ezequiel, nestas palavras:

> Então, aspergirei água pura sobre vós, e ficareis purificados; de todas as vossas imundícias e de todos os vossos ídolos vos purificarei. Dar-vos-ei coração novo e porei dentro de vós espírito novo; [...] e farei que andeis nos meus estatutos, guardeis os meus juízos e os observeis. [...] vós sereis o meu povo, e eu serei o vosso Deus. Livrar-vos-ei de todas as vossas imundícias;

[...] Assim diz o Senhor Deus: No dia em que eu vos purificar de todas as vossas iniquidades, [...] Então, as nações que tiverem restado ao redor de vós saberão que eu, o Senhor, reedifiquei as cidades destruídas [...]. Eu, o Senhor, o disse e o farei.

Ezequiel 36.25-36

30 "Tendo, pois, ó amados, tais promessas" tanto na Lei quanto nos Profetas, e tendo a palavra profética confirmada a nós no Evangelho, por nosso bendito Senhor e seus apóstolos, "purifiquemo-nos de toda impureza, tanto da carne como do espírito, aperfeiçoando a nossa santidade no temor de Deus" (2Co 7.1). "Temamos, portanto, que", com tantas promessas "de entrar no descanso de Deus", em que ele entrou, tendo cessado suas obras, "suceda parecer que algum de vós tenha falhado" (Hb 4.1). Façamos uma coisa: "esquecendo-nos das coisas que para trás ficam e avançando para as que diante de nós estão, prossigamos para o alvo, para o prêmio da soberana vocação de Deus em Cristo Jesus" (Fp 3.13-14), clamando-lhe dia e noite, até sermos nós, também, "redimidos do cativeiro da corrupção, para a liberdade da glória dos filhos de Deus" (Rm 8.21).

* * *

A promessa de santificação
(Ezequiel 36.25ss)
Rev. Charles Wesley

1. Deus do poder, verdade e graça,
Que de era em era durará;
O céu, a terra, tudo passa,
Mas tua palavra ficará.

2. A ti minh'alma os olhos lança,
E aguarda a promessa, Senhor;

Objeto de minha esperança,
Selo de teu eterno amor.

3. Que eu possa aclamar-te piedoso,
Que todos vejam tua verdade;
Consagra o teu nome glorioso,
Aperfeiçoa-me a santidade.

4. Oh, vem do mundo me escolher,
Se em tua retidão me adornar,
Se no teu reino eu merecer
De meu Salvador te chamar;

5. Acaba a obra em contrução,
Converte a ti minh'alma exangue;
Ama-me sempre e o coração
Vem aspergir-me com teu sangue.

6. Teu Santo Espírito despeja,
Limpa-me e mata a minha sede;
Que a tua chuva benfazeja
Lave os meus pecados adrede.

7. Tira-me as manchas de pecados;
Meus ídolos sejam banidos,
Meus pensamentos maus, purgados,
O orgulho e impureza, varridos.

8. Dá-me um perfeito coração,
De dúvida e temor isento;
Dá-me de Cristo o sentimento,
E a unir-me a ti a permissão.

9. Tira este coração petroso!
(Que a tua lei renega); não,

Não deixes ficar, é danoso;
Ah, remove este coração!

10. O ódio que habita a mente vil
Remova-me logo, Senhor;
Dá-me um coração bom e gentil,
Puro, cheio de fé e amor.

11. Firma teu espírito em mim,
De saúde, amor e poder;
Dá-me tua invicta graça enfim,
E o pecado não vai vencer.

12. A andar em Cristo me conduz,
Teus estatutos cumprirei;
Tua lei será a minha luz,
Sempre a tua vontade farei.

13. Não disseste, imortal Senhor,
Que cumprisse a lei por inteiro?
Negam-te, mas creio no amor:
São falsos, só tu verdadeiro.

14. Que agora, livre do pecado,
Tua palavra eu possa provar,
Em teu descanso apalavrado,
Na Canaã do amor entrar!

15. Deixa-me ali sempre habitar;
Sê meu Deus, teu servo serei;
Teu selo vem em mim gravar
E a vida eterna em ti terei.

16. De toda restante impureza
Espero a salvação de fato;
Do pecado atual e inato
Salva-me a alma que está presa.

17. Limpa-me o original pecado;
Dize-me: isso tem de ter fim,
O Cordeiro, crucificado,
Seu sangue derramou por mim!

18. Asperge-o em meu coração;
Uma gota logo elimina
E acaba com a corrupção;
Enche-me de vida divina.

19. Pai, dá-me o que é essencial,
Sustenta a vida que me deste;
Invoca o trigo, o pão vital,
Faz descer o maná celeste.

20. O bom fruto da retidão,
As bênçãos do teu suprimento,
Aumenta em mim em profusão;
Cessa essa fome e sofrimento.

21. Cala-me o profundo gemido
"Oh, minha pobreza, meu Deus!"
Só, em desejo consumido
Eu, entre todos filhos teus!

22. O desejo, a sede que aflige,
Tua presença extinguirá;
Enquanto minha alma exige
O amor eterno que virá.

23. Senhor que és santo, justo e vero,
Tua vontade provar espero;
Atenta à palavra sublime
E agora em mim teu selo imprime!

24. Deixa-me achar tua piedade,
Em que me deste fé certeira;

Dá-me tua brandura e humildade,
Deita-me o espírito na poeira.

25. Se o vil coração meu mostrares,
Se eu renascer na graça então,
E todo o pecado expurgares,
Deixa aflorar minha abjeção.

26. O olho de minha fé descerra,
Mostra-me tua glória, Senhor;
Tudo o que sou irá por terra,
Perdido em assombro e amor.

27. Com tua graça me domina,
Sem ti eu seria ruína;
(Todo o poder, glória e louvor,
São para Cristo, meu Senhor!)

28. Oh, que eu atinja a perfeição!
Não permitas que eu caia, insisto,
Menos que nada eu seja, e então,
Sinta tudo em todos em Cristo!

SERMÃO 76

Sobre a perfeição

Prossigamos até a perfeição.
Hebreus 6.1, RC

A sentença toda é assim: "Pelo que, deixando os rudimentos da doutrina de Cristo, prossigamos até a perfeição, não lançando de novo o fundamento do arrependimento de obras mortas e de fé em Deus", que ele acabara de denominar "os primeiros rudimentos das palavras de Deus" (Hb 5.12, RC), alimento adequado, como o leite, para os bebês que acabam de provar a graça do Senhor.

Que fazer isso é uma questão de extrema importância o apóstolo sugere nas palavras seguintes: "E isto faremos, se Deus o permitir. Porque é impossível que os que já uma vez foram iluminados [...], e provaram a boa palavra de Deus, e as virtudes do século futuro, e recaíram, sejam outra vez renovados para arrependimento" (Hb 6.3-6, RC). É como se houvesse dito: se não prosseguirmos até a perfeição, corremos o extremo perigo de "cair"; e, se cairmos, é "impossível", ou seja, extremamente difícil, sermos "renovados para arrependimento".

A fim de facilitar ao máximo o entendimento dessa passagem bíblica tão importante, eu me empenharei em:

I. Mostrar o que é a perfeição;

II. Responder a algumas objeções a ela;

III. Argumentar brevemente com os objetores à doutrina da perfeição.

I

Procurarei mostrar o que é a perfeição.

1 Primeiro, não concebo a perfeição a que me referirei aqui como a perfeição dos anjos. Como esses seres gloriosos nunca deixaram "seu estado original", nunca decaíram da perfeição original, todas as suas faculdades inatas se preservaram. Seu entendimento, em particular, ainda é um farol de luz, a compreensão de todas as coisas é clara e distinta, e o julgamento, sempre verdadeiro. Então, apesar de o conhecimento deles ser limitado (porque são criaturas), embora ignorem incontáveis coisas, não são sujeitos a erro: seu conhecimento é perfeito em sua espécie. E como as afeições deles são constantemente guiadas por seu entendimento infalível, assim todas as suas ações são adequadas a eles. Desse modo, eles cumprem, em todos os momentos, não a sua vontade, mas a boa e agradável vontade de Deus (Rm 12.2). Por conseguinte, não é possível para os seres humanos, cujo entendimento está obscurecido; para quem o erro é tão natural quanto a ignorância; que não conseguem pensar a não ser pela mediação de órgãos enfraquecidos e degenerados, como as outras partes de seu corpo corruptível; não é possível, insisto, para os seres humanos pensarem sempre corretamente, apreenderem as coisas distintamente e julgarem-nas de modo verdadeiro. Em consequência, suas afeições, que dependem do entendimento, são variavelmente desordenadas. E suas palavras e ações são influenciadas, em maior ou menor grau, pela desordem tanto de seu entendimento quanto das afeições. Consequentemente, nenhuma pessoa, enquanto estiver no corpo, pode atingir a perfeição angélica.

2 Da mesma forma, nenhuma pessoa, enquanto estiver em um corpo corruptível, pode atingir a perfeição adâmica. Adão, antes da Queda, era, sem dúvida, tão puro, tão livre do pecado como os santos anjos. De maneira semelhante, seu entendimento era tão claro quanto o deles e suas afeições, igualmente regulares. Em virtude disso, como ele sempre julgasse corretamente, era sempre capaz de falar e agir corretamente. Entretanto, como o ser humano se rebelou contra Deus, seu caso é bastante diferente. Ele não é mais capaz de evitar cair em incontáveis erros; em consequência, não consegue evitar as afeições errôneas, nem consegue sempre pensar, falar e agir corretamente. Portanto, em seu estado atual, o ser humano não é mais capaz de atingir a perfeição adâmica tanto quanto a angélica.

3 A perfeição mais alta que o ser humano pode atingir, enquanto a alma habita no corpo, não exclui a ignorância, o erro e mil outras fraquezas. Ora, a partir de julgamentos errados, forçosamente se seguirão palavras e ações erradas. E, em alguns casos, afeições errôneas também podem brotar da mesma fonte. Posso julgar-te de modo errado. Posso julgar-te melhor ou pior do que deveria, e esse erro de julgamento pode não apenas causar algo de errado em meu comportamento como ter um efeito ainda mais profundo: pode causar algo de errado em minha afeição. A partir de uma compreensão errada, posso te amar e estimar mais ou menos do que deveria. Além disso, não tenho como me livrar da probabilidade de tal erro enquanto permanecer em um corpo corruptível. Mil fraquezas, em consequência disso, ocuparão meu espírito até que ele retorne a Deus, que o deu. E, em incontáveis exemplos, deixamos de cumprir a vontade de Deus, como fez Adão no paraíso. Assim, a melhor das pessoas pode dizer, de coração:

"Preciso sempre, Senhor,
Do mérito de tua morte,[1]

---

[1] Do hino "To the haven of thy breast", de Charles Wesley. (N. da T.)

por incontáveis violações da lei adâmica assim como da lei angélica". É bom, portanto, para nós, que não estejamos sob essas leis, mas sob a lei do amor. Agora "o cumprimento da lei é o amor" (Rm 13.10); o cumprimento da lei que é dada ao ser humano após a Queda. Essa é agora, com respeito a nós, "a lei perfeita". Porém mesmo essa lei, devido à atual fraqueza de nosso entendimento, nós transgredimos continuamente. Por conseguinte, toda pessoa necessita do sangue expiatório, senão não poderia postar-se diante de Deus.

4 Qual é, então, a perfeição de que o ser humano é capaz enquanto reside em um corpo corruptível? É obedecer àquele gentil mandamento: "Dá-me, filho meu, o teu coração" (Pv 23.26). É "amar o Senhor, teu Deus, de todo o teu coração, de toda a tua alma e de todo o teu entendimento" (Mt 22.37). Esse é o resumo da perfeição cristã. Tudo está englobado naquela única palavra, amor. O primeiro ramo a sair dali é o amor a Deus. E como aquele que ama a Deus também ama seu irmão, está inseparavelmente ligado ao segundo: "Amarás o teu próximo como a ti mesmo" (Mt 22.39). Deves amar toda pessoa como tua própria alma, assim como Cristo nos amou. "Destes dois mandamentos dependem toda a Lei e os Profetas" (Mt 22.40). Eles contêm toda a perfeição cristã.

5 Outra perspectiva sobre isso nos é dada pelas palavras do grande apóstolo: "Tende em vós o mesmo sentimento que houve também em Cristo Jesus" (Fp 2.5). Pois, embora isso se refira imediata e diretamente à humildade de nosso Senhor, ainda assim pode ser entendido em um sentido mais amplo, que inclua toda a disposição mental de Cristo, suas afeições e inclinações, tanto em relação a Deus quanto aos seres humanos. É certo que, como não existia nele nenhuma afeição ruim, não faltava nenhuma boa afeição ou inclinação. De modo que "tudo o que é santo, tudo o que é amável" (Fp 4.8),[2] tudo está incluído em "o mesmo sentimento que houve também em Cristo Jesus".

6 São Paulo, ao escrever para os gálatas, trata da perfeição sob ainda outra perspectiva. É o *fruto do espírito* indiviso, que ele descreveu assim: "o fruto do Espírito é: amor, alegria, paz, longanimidade, benignidade, bondade, fidelidade" (assim a palavra deve ser traduzida aqui), "mansidão, domínio próprio" (Gl 5.22). Que gloriosa constelação de graças há aqui! Agora suponham que todas elas estejam entrelaçadas, unidas na alma de um crente: isso é a perfeição cristã.

7 Novamente, ele escreve aos cristãos de Éfeso: "e vos revistais do novo homem, criado segundo Deus, em justiça e retidão procedentes da verdade" (Ef 4.24), e aos colossenses a respeito "do novo homem que se refaz para o pleno conhecimento, segundo a imagem daquele que o criou" (Cl 3.10), referindo-se claramente às palavras do Gênesis: "Criou Deus, pois, o homem à sua imagem" (Gn 1.27). Ora, a imagem moral de Deus consiste (como o apóstolo observa) "em justiça e retidão procedentes da verdade" (Ef 4.24). Com o pecado, isso é totalmente destruído. E jamais o recuperaremos até sermos "criados em Cristo Jesus" (Ef 2.10). E isso é perfeição.

8 São Pedro o expressa ainda de outra maneira, mesmo que com o mesmo efeito: "segundo é santo aquele que vos

---

[2] Traduzimos aqui literalmente a citação de Wesley, "whatsoever things are holy, whatsoever things are lovely", que vem da Vulgata Latina: "quæcumque sancta quæcumque amabilia". Na Versão Autorizada do rei Jaime (*King James*, 1611) esse trecho está traduzido como "whatsoever things are pure, whatsoever things are lovely", e assim também a maioria das traduções para o português registra: "tudo o que é puro, tudo o que é amável". No ensaio *Explicação clara da perfeição cristã*, Wesley cita essa mesma passagem na tradução da Versão Autorizada. (N. da T.)

chamou, tornai-vos santos também vós mesmos em todo o vosso procedimento" (1Pe 1.15). De acordo com esse apóstolo, então, a perfeição é outro nome para a santidade universal; justiça interna e externa; santidade de vida, que brota da santidade do coração.

9 Se houver expressões mais fortes do que essas, são aquelas de São Paulo na epístola aos tessalonicenses: "O mesmo Deus da paz vos santifique em tudo; e o vosso espírito, alma e corpo" (esta é a tradução literal) "sejam conservados íntegros e irrepreensíveis na vinda de nosso Senhor Jesus Cristo" (1Ts 5.23).

10 Não há como mostrar essa santificação de um modo melhor do que obedecendo àquela exortação do apóstolo: "Rogo-vos, pois, irmãos, pelas misericórdias de Deus, que apresenteis o vosso corpo" (vós mesmos, vossa alma e corpo; a parte pelo todo, uma figura de linguagem comum) "por sacrifício vivo, santo e agradável a Deus" (Rm 12.1), a quem fomos consagrados muitos anos atrás em batismo. Quando o que foi então devotado é realmente apresentado a Deus, então o homem de Deus é perfeito.

11 Nesse mesmo sentido, São Pedro diz: "sois edificados [...] para serdes sacerdócio santo, a fim de oferecerdes sacrifícios espirituais agradáveis a Deus por intermédio de Jesus Cristo" (1Pe 2.5). Mas que sacrifícios devemos oferecer agora, considerando que a dispensação judaica chegou ao fim? Se vos apresentastes verdadeiramente a Deus, ofereceis a ele continuamente todos os vossos pensamentos, palavras e ações, por meio do Filho de seu amor, como um sacrifício de louvor e ação de graças.

12 Assim experimentais que aquele que se chama Jesus não ostenta esse nome em vão: que, de fato, "ele salvará o seu povo dos pecados deles" (Mt 1.21), tanto a raiz quanto os ramos. E essa salvação do pecado, de todos os pecados, é outra descrição da perfeição, embora, na verdade, expresse apenas o ramo menor, inferior, a parte negativa da grande salvação.

II

Eu me propus, em segundo lugar, responder a algumas objeções a essa explicação bíblica da perfeição.

1 Uma objeção comum é que não existe promessa de perfeição na Palavra de Deus. Se fosse assim, deveríamos desistir; não teríamos base sobre a qual nos fundar, pois as promessas de Deus são a única base segura para nossas esperanças. Mas sem dúvida existe uma promessa muito clara e completa de que todos devemos amar o Senhor, nosso Deus, de todo o coração. Assim, lemos: "O Senhor, teu Deus, circuncidará o teu coração e o coração de tua descendência, para amares o Senhor, teu Deus, de todo o coração e de toda a tua alma" (Dt 30.6). Igualmente clara é a palavra de nosso Senhor, que não deixa de ser uma promessa, ainda que em forma de mandamento: "Amarás o Senhor, teu Deus, de todo o teu coração, de toda a tua alma e de todo o teu entendimento" (Mt 22.37). Não há outras palavras que possam ser mais fortes do que essas; nenhuma promessa pode ser mais clara. De maneira semelhante, "Amarás o teu próximo como a ti mesmo" (Mt 22.39) é tanto uma clara promessa quanto um mandamento.

2 E, de fato, essa promessa geral e ilimitada que perpassa toda a dispensação evangélica, "Na mente, lhes imprimirei as minhas leis, também no coração lhas inscreverei" (Jr 31.33), transforma todos os mandamentos em promessas. Em consequência, assim como os demais, o mandamento seguinte é transformado em promessa: "Tende em vós o mesmo sentimento que houve também em Cristo Jesus" (Fp 2.5). O mandamento aqui equivale a uma promessa e nos dá total razão de esperar que ele operará em nós o que de nós exige.

3 Em relação ao fruto do espírito, o apóstolo, ao afirmar, "o fruto do Espírito é: amor, alegria, paz, longanimidade, benignidade, bondade, fidelidade, mansidão, domínio próprio" (Gl 5.22), declara, com efeito, que o Espírito Santo realmente desenvolve o amor, e todas aquelas outras disposições, naqueles que são conduzidos por ele. De maneira que, também aqui, temos base firme sobre a qual pisar, já que essa passagem equivale a uma promessa e assegura-nos de que tudo isso se produzirá em nós, se formos guiados pelo Espírito.

4 E quando o apóstolo diz aos efésios: "se é que, de fato, o tendes ouvido e nele fostes instruídos, segundo é a verdade em Jesus [...] e vos renoveis no espírito do vosso entendimento, e vos revistais do novo homem, criado segundo Deus" — ou seja, segundo a imagem de Deus — "em justiça e retidão procedentes da verdade" (Ef 4.21-24), não deixa espaço para dúvida: Deus nos renovará no espírito de nosso entendimento e nos recriará à imagem de Deus, conforme fomos criados originalmente. De outro modo, ele não poderia ter dito que essa é "a verdade em Jesus".

5 O mandamento de Deus, transmitido por São Pedro, "segundo é santo aquele que vos chamou, tornai-vos santos também vós mesmos em todo o vosso procedimento" (1Pe 1.15), implica uma promessa de que, assim, seremos santos, se não estivermos em falta conosco mesmos. Da parte de Deus nada pode estar faltando: como ele nos chamou à santidade, não há dúvida de que está disposto e habilitado a desenvolver essa santidade em nós. Pois ele não iria decepcionar criaturas indefesas, chamando-nos a receber o que nunca pretendeu dar. Que ele nos chama a isso é inegável; portanto, ele o dará, se não desobedecermos ao chamado celestial.

6 A oração de São Paulo pelos tessalonicenses, para que Deus os "santificasse" em tudo e que o seu "espírito, alma e corpo" fossem "conservados íntegros e irrepreensíveis", será, sem dúvida, ouvida em nome de todos os filhos de Deus, assim como daqueles de Tessalônica. Por meio dela, portanto, todos os cristãos são encorajados a esperar a mesma bênção do "Deus da paz": a saber, que eles também serão santificados em tudo, em "espírito, alma e corpo", e que todos serão "conservados íntegros e irrepreensíveis na vinda de nosso Senhor Jesus Cristo" (1Ts 5.23).

7 Mas a grande questão é se há alguma promessa nas Escrituras de que seremos *salvos do pecado*. Não há dúvida de que há. Esta é a promessa: "É ele quem redime a Israel de todas as suas iniquidades" (Sl 130.8), que corresponde precisamente às palavras do anjo, "ele salvará o seu povo dos pecados deles" (Mt 1.21). E com certeza ele "pode salvar totalmente os que por ele se chegam a Deus" (Hb 7.25). Essa é aquela gloriosa promessa feita por meio do profeta Ezequiel:

> Então, aspergirei água pura sobre vós, e ficareis purificados; de todas as vossas imundícias e de todos os vossos ídolos vos purificarei. Dar-vos-ei coração novo e porei dentro de vós espírito novo; tirarei de vós o coração de pedra e vos darei coração de carne. Porei dentro de vós o meu Espírito e farei que andeis nos meus estatutos, guardeis os meus juízos e os observeis.
>
> Ezequiel 36.25-27

Semelhante (para encerrar as citações) é aquela proferida por Zacarias: "do juramento que fez a Abraão, o nosso pai, de conceder-nos que, livres das mãos de inimigos" (e é isso o que são, sem dúvida, todos os nossos pecados), "o adorássemos sem temor, em santidade e justiça perante ele, todos os nossos dias" (Lc 1.73-75). A parte final dessa promessa é digna, especialmente, de observação. Para que ninguém dissesse: "É verdade, seremos salvos de nossos pecados quando morrermos", esta cláusula foi notavelmente acrescentada, como que de propósito, a fim de prevenir essa deturpação: *todos os nossos dias*. Como pode alguém de bom senso afirmar, então, que ninguém desfrutará dessa liberdade até a morte?

8 "Mas", objetam alguns, "esse não pode ser o significado dessas palavras, pois a coisa em si é impossível." É impossível para as pessoas, mas as coisas impossíveis para as pessoas são possíveis para Deus (Lc 18.27). "Não, mas isso é impossível em sua própria natureza, pois implica uma contradição: a de que uma pessoa possa ser salva de todos os pecados enquanto ainda está em um corpo pecaminoso."

Há muita força nessa objeção. E talvez concordemos com muito do que ela defende. Já concedemos que, enquanto estamos em um corpo, não podemos ser completamente livres do erro. Não obstante todo o nosso cuidado, ainda seremos suscetíveis a julgar erradamente em muitos casos. E um erro de julgamento, com muita frequência, acarretará um erro na prática. Mais ainda: um julgamento errado pode acarretar algo nas inclinações ou paixões que não é rigorosamente correto. Pode acarretar medo desnecessário ou esperanças infundadas, amor irracional, aversão irracional. Mas nada disso é, de forma alguma, incompatível com a perfeição acima descrita.

9 Dizeis: "Sim, é incompatível com o último artigo. Não é compatível com a salvação do pecado". Respondo: será perfeitamente compatível com salvação do pecado conforme aquela definição de pecado (que entendo ser a definição bíblica da palavra) como *uma transgressão voluntária de uma lei conhecida*. "Não, porque todas as transgressões da lei de Deus, voluntárias ou involuntárias, são pecados. Pois São João diz que 'o pecado é a transgressão da lei' (1Jo 3.4)." É verdade, mas ele não diz que *toda transgressão da lei é pecado*. Isso eu nego. Quem puder, que o prove.

Para dizer a verdade, isso é mera disputa de palavras. Dizeis que ninguém está salvo do pecado no *vosso* sentido da palavra, mas não aceito esse sentido, porque a palavra nunca foi usada assim nas Escrituras. E não podeis negar a possibilidade de serdes salvos do pecado, no *meu* sentido da palavra. E esse é o sentido em que a palavra "pecado" é usada repetidas vezes nas Escrituras.

"É óbvio que não podemos ser salvos do pecado enquanto habitamos em um corpo pecaminoso." *Um corpo pecaminoso?* Peço-vos que observem quão profundamente ambígua, quão equívoca, é essa expressão! No entanto, ela não é autorizada pelas Escrituras. A expressão "corpo pecaminoso" não é utilizada lá nenhuma vez. E, assim como é absolutamente não bíblica, também é claramente absurda. Pois nenhum corpo ou material de qualquer tipo pode ser pecaminoso: só os espíritos são capazes de pecado. Dizei-me: em que parte do corpo o pecado se aloja? Não pode se alojar na pele, nem nos músculos, nervos, veias ou artérias; não pode estar nos ossos, nem nos cabelos ou unhas. Apenas a alma pode ser a sede do pecado.

10 "O próprio São Paulo não diz que 'os que estão na carne não podem agradar a Deus' (Rm 8.8)?" Receio que essa passagem tenha enganado muitas almas descuidadas, a quem disseram que aquelas palavras, "os que estão na carne", significam o mesmo que "os que estão no corpo". Não; longe disso. A "carne", nessa passagem, não significa "o corpo" mais do que significa "a alma". Abel, Enoque, Abraão e toda aquela série de testemunhas citadas por São Paulo no capítulo onze de Hebreus[3] realmente agradaram a Deus enquanto estavam no corpo, como ele próprio testifica. A expressão, portanto, significa aqui nem mais nem menos do que aqueles que não são crentes, aqueles que estão em seu estado natural, aqueles que estão sem Deus no mundo.

[3] Wesley dá por certo que a carta de Hebreus foi escrita pelo apóstolo Paulo, o que é hoje contestado pela maioria dos especialistas. (N. da T.)

11 Prestemos atenção à razão do fenômeno. Por que o Todo-poderoso não pode santificar a alma enquanto ela está no corpo? Ele não pode santificar a *vós* enquanto estais dentro desta casa, tanto quanto ao ar livre? Paredes de tijolo ou pedra podem detê-lo? De igual modo, estas paredes de carne e sangue não podem impedi-lo nem por um momento de santificar-vos inteiramente. Ele pode salvar-vos facilmente de todos os pecados no corpo tanto quanto fora do corpo.

"Mas ele prometeu nos salvar do pecado enquanto estivéssemos no corpo?" Não há dúvida de que prometeu. Pois há uma promessa implícita em cada mandamento de Deus. Portanto, neste: "Amarás o Senhor, teu Deus, de todo o teu coração, de toda a tua alma e de todo o teu entendimento" (Mt 22.37). Porque esse e todos os outros mandamentos são dados, não aos mortos, mas aos vivos. Está expresso nas palavras acima citadas que devemos andar "em santidade perante ele, todos os nossos dias" (Lc 1.75).

Detive-me nesse ponto mais longamente porque é o grande argumento daqueles que se opõem à salvação do pecado, e também porque não foi respondido com tanta frequência e plenitude, enquanto os argumentos extraídos das Escrituras foram respondidos uma centena de vezes antes.

12 Entretanto, uma objeção ainda mais plausível permanece, extraída da experiência; a saber, que não existem testemunhas vivas dessa salvação do pecado. Em resposta a isso, concedo:

(1) Que não são muitas. Mesmo nesse sentido, "não tendes muitos pais" (1Co 4.15). Tal é nossa dureza de coração, tal é nossa lentidão em acreditar no que tanto os profetas quanto os apóstolos falaram, que há muito poucas, extraordinariamente poucas, verdadeiras testemunhas da grande salvação.

(2) Que há falsas testemunhas, que enganam a própria alma e falam do que não sabem, ou falam mentiras em hipocrisia

(1Tm 4.2). E muitas vezes me pergunto por que não temos mais desses dois tipos. Não é nada estranho que pessoas de imaginação fértil se enganem nessa matéria. Muitos fazem o mesmo em relação à justificação: imaginam que estão justificados, quando não estão. Mas, embora muitos tenham sido enganados por sua imaginação, existem alguns que foram verdadeiramente justificados. E, assim também, ainda que muitos imaginem serem santificados quando não são, existem alguns que foram realmente santificados.

(3) Que alguns que outrora desfrutaram da plena salvação agora a perderam completamente. Antes caminhavam em gloriosa liberdade, oferecendo todo o coração a Deus, a "regozijar-se sempre, orar sem cessar e em tudo dar graças" (1Ts 5.16-18). Mas isso é passado. Agora eles perderam a força e tornaram-se como outras pessoas. Talvez não tenham perdido a confiança; talvez ainda possuam um senso do amor misericordioso de Deus. Porém mesmo quanto a isso são frequentemente assaltados por dúvidas e medos, e suas mãos tremem.

13 "É exatamente isso", dizem algumas pessoas piedosas e sensatas, "o que defendemos. Admitimos que possa agradar a Deus tornar alguns de seus filhos por algum tempo indizivelmente santos e felizes. Não negaremos que possam desfrutar de toda a santidade e felicidade de que falais. Mas é apenas *por algum tempo*: Deus nunca planejou que isso continuasse até o fim da vida deles. Em consequência, o pecado é apenas suspenso. Não é destruído."

É o que afirmais. Mas isso é algo de importância tão profunda que não pode ser aceito sem uma prova clara e convincente. E onde está a prova? Sabemos que, em geral, "os dons e a vocação de Deus são irrevogáveis" (Rm 11.29). Ele não revoga os dons que concedeu aos filhos dos homens. E por que seria o contrário, em relação a esse dom particular de Deus?

Por que deveríamos imaginar que ele faria uma exceção com respeito ao mais precioso de todos os seus dons neste mundo? Será que ele não é capaz de nos conceder esse dom para sempre, assim como nos concedeu uma vez? Não será capaz de nos dar por cinquenta anos, assim como por um dia? E como se pode provar que ele não está disposto a dar continuidade a essa bondade amorosa? Como essa suposição, de que ele não está disposto, é compatível com a asserção positiva do apóstolo? Que, depois de exortar os cristãos de Tessalônica e, por meio deles, todos os cristãos de todas as eras, a "regozijar-se sempre, orar sem cessar e em tudo dar graças" (1Ts 5.16-18), imediatamente acrescenta (como que de propósito, para responder àqueles que negavam, não o poder, mas a vontade de Deus para operar isso neles): "porque esta é a vontade de Deus em Cristo Jesus para convosco" (1Ts 5.18)? Não só isso; é notável que, depois de proferir essa gloriosa promessa (o que ela verdadeiramente é) no vigésimo terceiro versículo: "O mesmo Deus da paz vos santifique em tudo; e" (assim está no original) "o vosso espírito, alma e corpo sejam conservados íntegros e irrepreensíveis na vinda de nosso Senhor Jesus" (1Ts 5.23), acrescenta novamente: "Fiel é o que vos chama, o qual também o fará" (1Ts 5.24). Ele *irá* não apenas santificar-vos em tudo, mas irá conservar-vos naquele estado até que venha tomar-vos para si.

14 Os fatos estão de acordo com isso. Várias pessoas desfrutaram dessa bênção, sem qualquer interrupção, durante muitos anos. Várias desfrutam dela até hoje. E não são poucas as que dela desfrutaram até a morte, como declararam em seu último suspiro, calmamente testemunhando que Deus as salvou de todos os pecados até seu espírito retornar a ele.

15 Quanto ao conjunto de objeções extraídas da experiência, gostaria que fossem feitas mais observações, quer as pessoas que sejam alvo dessas objeções tenham atingido a perfeição cristã, quer não a tenham atingido. Se não a atingiram, quaisquer objeções que sejam levantadas contra elas não atingem o alvo. Porque elas não são as pessoas de que estamos falando. Por conseguinte, o que quer que sejam ou façam não vem ao caso. Mas, se atingiram a perfeição, se atendem à descrição dada nos nove artigos precedentes, nenhuma objeção racional pode haver contra elas. Estão acima de toda reprovação, e "toda língua que ousar" contra elas em juízo, elas a condenarão (Is 54.17).

16 "Nunca encontrei ninguém", prossegue o objetor, "que corresponda à minha ideia de perfeição." É possível. E é provável (como já comentei em outro ponto) que jamais encontres. Pois a tua ideia inclui características em demasia; até mesmo a isenção daquelas fraquezas que não são destacáveis de um espírito que esteja ligado à carne e ao sangue. Mas se te ativeres à explicação que foi dada acima e levares em conta a fraqueza do entendimento humano, talvez vejas atualmente exemplos inegáveis de genuína perfeição bíblica.

III

1 Resta apenas, em terceiro lugar, debater brevemente com os opositores dessa perfeição.

Permiti-me perguntar: por que vos zangais tanto com os que professam havê-la obtido? E por que ficais tão loucos (não tenho como usar uma palavra mais suave) de raiva contra a perfeição cristã? Contra o dom mais glorioso que Deus já deu aos mortais na face da terra? Examinai-a em cada um dos pontos precedentes de esclarecimento e vede o que contém de odioso ou terrível; que seja calculado para excitar o ódio ou o medo em qualquer criatura racional.

Que objeção racional podeis ter a amar o Senhor, vosso Deus, de todo coração? Por que teríeis alguma aversão a isso? Por que teríeis medo disso? Será que isso vos feriria de algum modo? Diminuiria a vossa felicidade, quer neste mundo, quer no mundo que há de vir? E por que sois contrários a que os outros deem a ele todo o seu coração? Ou que amem o próximo como a si mesmos? Sim, "como também Cristo nos amou" (Ef 5.2)? Será que isso é odiável? É este um objeto de ódio adequado? Ou será o que há de mais amável sob o sol? É algo digno de causar terror? Não é, ao contrário, extremamente desejável?

2 Por que sois tão contrários a ter em vós "o mesmo sentimento que houve também em Cristo Jesus" (Fp 2.5)? Todas as afeições, todas as inclinações e disposições que houve nele enquanto habitou entre nós? Por que teríeis medo disso? Seria pior para vós se Deus desenvolvesse em vós agora o mesmo sentimento que houve nele? Se não, por que criaríeis obstáculos para os outros que procuram essa bênção? Ou por que ficaríeis irritados com aqueles que pensam havê-la obtido? Existe algo mais belo? Algo mais desejável por todos os seres humanos?

3 Por que sois contrários a ter todo o "fruto do Espírito"? Ou seja, "amor, alegria, paz, longanimidade, benignidade, bondade, fidelidade, mansidão, domínio próprio" (Gl 5.22)? Por que teríeis medo de que todas essas características fossem plantadas no cerne de vossa alma? Considerando que "contra estas coisas não há lei" (Gl 5.23), não deveria haver nenhuma objeção racional. Sem dúvida nada é mais desejável do que ter todas essas inclinações profundamente enraizadas no coração; mais do que isso, no coração de todos os que professam o nome de Cristo; sim, de todos os habitantes da terra.

4 Que razão tendes para temer ou nutrir qualquer aversão a serdes renovados "segundo a imagem daquele que vos criou" (Cl 3.10)? Isso não é mais desejável do que qualquer outra coisa sob o céu? Não é absolutamente agradável? O que podeis desejar em comparação com isso, quer para vossa própria alma, quer para a alma daqueles por quem tendes a mais forte e terna afeição? E quando desfrutardes disso, o que restará além de serdes "transformados, de glória em glória", como "pelo Senhor, o Espírito" (2Co 3.18)?

5 Por que seríeis contrários à santidade universal — a mesma coisa sob outro nome? Por que nutriríeis qualquer preconceito contra isso, ou olharíeis para isso com apreensão? Quer entendeis por aquele termo o estar internamente em conformidade com toda a imagem e vontade de Deus, quer um comportamento externo em todos os pontos adequado a essa conformidade. Podeis conceber algo mais agradável do que isso? Algo mais desejável? Deixai o preconceito de lado e, com certeza, desejareis vê-la difundida por toda a terra.

6 Seria a perfeição (para variar a expressão) o ser santificado em tudo, "espírito, alma e corpo" (1Ts 5.23)? Quem entre os que amam a Deus e ao próximo se oporia a isso ou nutriria uma apreensão aterradora diante disso? Em vossos melhores momentos, não desejais formar uma unidade? Serdes completamente compatíveis convosco mesmos? Integralmente fé, mansidão e amor? E supondo que alguma vez tivésseis possuído essa gloriosa liberdade, não quereríeis conservá-la? Serdes conservados "íntegros e irrepreensíveis na vinda de nosso Senhor Jesus Cristo" (1Ts 5.23)?

7 Por que razão seríeis vós, que sois filhos de Deus, contrários a vos apresentardes, de alma e corpo, como sacrifício vivo, santo e agradável a Deus, ou por que temeríeis isso? A Deus vosso Criador, vosso Redentor, vosso Santificador? Existe algo mais desejável do que essa completa autodedicação a ele? E não é vosso desejo que toda a humanidade se una nesse "culto

racional" (Rm 12.1)? Com certeza ninguém pode se opor a isso sem ser inimigo de toda a humanidade.

8 E por que recearíeis ou repudiaríeis o que está naturalmente implicado nisso, a saber, o oferecimento de todos os nossos pensamentos, palavras e ações, como sacrifício espiritual a Deus, agradável a ele, por meio do sangue e intercessão de seu bem amado Filho? Com certeza não podeis negar que isso é bom e proveitoso para as pessoas, assim como agradável a Deus. Não deveríeis então orar com devoção para que vós e toda a humanidade pudésseis assim adorá-lo em espírito e verdade?

9 Permiti-me fazer ainda uma pergunta: por que qualquer pessoa de razão e religião recearia ou repudiaria a salvação de todos os pecados? O pecado não é o maior dos males neste mundo? E, nesse caso, não se segue naturalmente que uma completa libertação dele é uma das maiores bênçãos deste mundo? Quão fervorosamente, então, deveríamos orar para que isso acontecesse com todos os filhos de Deus! Por pecado eu entendo *uma transgressão voluntária de uma lei conhecida*. Sois contrários a serdes libertados disso? Tendes medo de tal libertação? Amais, então, o pecado, já que sois tão contrários a vos separardes dele? Certamente que não. Não amais o diabo nem suas obras. Desejais, na verdade, estar totalmente libertos deles e ter o pecado arrancado de vossa vida e de vosso coração.

10 Muitas vezes observei, e não sem surpresa, que os oponentes da perfeição são mais veementes contra ela quando é colocada nessa perspectiva do que em qualquer outra. Concordarão com tudo o que dizeis sobre o amor a Deus e ao próximo; sobre o sentimento que houve em Cristo; sobre o fruto do Espírito; sobre a imagem de Deus; sobre a santidade universal; sobre a dedicação integral; sobre a santificação em espírito, alma e corpo; mais ainda, sobre o oferecimento de todos os nossos pensamentos, palavras e ações como sacrifício a Deus. Com tudo isso eles concordarão, desde que concordemos que o pecado, um pequeno pecado, permaneça em nós até morte.

11 Peço-vos que comparem isso com aquela notável passagem no livro de John Bunyan, *A guerra santa*:

> Quando Emanuel expulsou Diabolus e todas as suas forças da cidade de Alma Humana, Diabolus fez uma petição a Emanuel para ficar com uma pequena parte da cidade. Quando essa petição foi rejeitada, ele suplicou que lhe deixasse ter apenas uma salinha dentro dos muros da cidade. Mas Emanuel respondeu: "Ele não deve ter espaço nenhum ali; não, nem mesmo para descansar a sola do pé".

Será que o bom velho se esqueceu de suas próprias ideias? Será que a força da verdade não prevaleceu sobre ele aqui, a fim de subverter completamente seu próprio sistema? A fim de declarar a perfeição do modo mais claro? Pois, se isso não é salvação do pecado, não sei dizer o que é.

12 "Não", diz um grande homem, "este é o erro dos erros: odeio-o do fundo do coração. Combato-o no mundo todo a ferro e fogo." Como assim, por que tanta veemência? Pensas sinceramente que não existe erro sob o céu igual a esse? Eis algo que não consigo entender. Por que aqueles que se opõem à salvação do pecado (com poucas exceções) são tão ansiosos — eu quase disse "furiosos"? Estais lutando *pro aris et focis* [por Deus e pelo país]? Por tudo o que tendes no mundo? Por tudo o que vos é próximo e caro? Pela vossa liberdade, vossa vida? Em nome de Deus, por que gostais tanto do pecado? Que bem ele já vos fez? Que bem achais que ele poderá vos fazer, quer neste mundo, quer no mundo que há de vir? E por que sois tão violentamente contra os que esperam libertar-se dele? Tende paciência conosco, se estamos errados; mais ainda, permiti que desfrutemos de nosso erro. Se não a atingirmos, a mera expectativa dessa libertação nos dá consolo no dia de hoje, sim, e nos dá forças para resistir àqueles inimigos que esperamos vencer. Se pudésseis nos convencer a perder a esperança nessa vitória, desistiríamos da disputa. Agora "na esperança, fomos salvos" (Rm 8.24). Dessa mesma esperança um pouco de salvação brota. Não vos ireis com aqueles que são *felices errore suo* [felizes em seu erro]. Além disso, quer a vossa opinião esteja certa, quer errada, vossa fúria é inegavelmente pecaminosa. Tolerai-nos então, como nós vos toleramos, e vede se o Senhor não virá nos libertar! Vede se ele não está habilitado e, mais ainda, disposto a "salvar totalmente os que por ele se chegam a Deus" (Hb 7.25).

Tunbridge Wells, 6 de dezembro de 1784

Compartilhe suas impressões de leitura,
mencionando o título da obra, pelo e-mail
opiniao-do-leitor@mundocristao.com.br
ou por nossas redes sociais

Esta obra foi composta com tipografia Janson Text
e impressa em papel Holmen Book Creme 60 g/m² na Geográfica